GESTION
DE CARRIÈRE
RADICALE

(v.) : Prendre les mesures nécessaires
pour devenir la version la plus efficace,
la plus précieuse et la plus accomplie de vous-même.

D1399594

Version anglaise :
ISBN : 978-1-58479-292-5

Text and Design Copyright © 2005 Sally Hogshead

Version originale anglaise publiée en 2005 par Gotham Books and the Skycraper
Logs, trademarks of Penguin Group (USA) inc.

Catalogage avant publication de Bibliothèque et Archives nationales du
Québec et Bibliothèque et Archives Canada

Hogshead, Sally

Gestion de carrière radicale : 100 vérités pour relancer votre emploi, votre carrière et
votre vie

    Traduction de: Radical Careering.

    ISBN 978-2-89471-283-2

    1. Plan de carrière. 2. Succès dans les affaires. I. Titre.

HF5381.H6314 2008   650.14   C2007-942497-X

Auteure
Sally Hogshead

Traductrice
Rachel Martinez

Consultant
Reno Haché

Infographiste version française
Nathalie Perreault

Version française

© Septembre éditeur

Dépôt légal – Bibliothèque et
Archives nationales du Québec, 2008
Dépôt légal – Bibliothèque et
Archives Canada, 2008
1er trimestre 2008
ISBN 978-2-89471-283-2

Imprimé et relié au Québec

Septembre éditeur

Président
André Provencher

Directeur général
et éditeur adjoint
Martin Rochette

Adjointe à l'édition
Martine Pelletier

2825, ch. des Quatre-Bourgeois
C.P. 9425, succ. Sainte-Foy
Québec (Québec) G1V 4B8

Tél. : 1 800 361-7755
www.septembre.com

L'éditeur remercie le gouvernement du Québec pour l'aide financière accordée à
l'édition de cet ouvrage par l'entremise du Programme de crédit d'impôt pour
l'édition de livres, administré par la SODEC.

Nous reconnaissons l'aide financière du gouvernement du Canada, par l'entremise du Programme d'aide au développement de l'industrie de l'édition (PADIÉ),
pour nos activités d'édition.

GESTION
DE CARRIÈRE
RADICALE

100 VÉRITÉS POUR RELANCER
VOTRE EMPLOI, VOTRE CARRIÈRE
ET VOTRE VIE

par SALLY HOGSHEAD

Septembre
éditeur

À notre petit ange

~

Votre carrière mérite-t-elle d'être aimée?

TABLE DES MATIÈRES

LES 10 ÉTAPES DE LA GESTION DE CARRIÈRE RADICALE

1. **REGARDEZ LA RÉALITÉ EN FACE**

2. **APPRIVOISEZ VOTRE MILIEU DE TRAVAIL**

3. **PRENEZ POSSESSION DE VOTRE CARRIÈRE**

4. **REJETEZ LA MÉDIOCRITÉ**

5. **CONSTITUEZ-VOUS UN CAPITAL PORTATIF**

6. **DIRIGEZ DE L'INTÉRIEUR**

7. **RÉUSSISSEZ VOTRE DÉFAITE**

8. **RÉINVENTEZ-VOUS**

9. **MAINTENEZ VOTRE ÉQUILIBRE DANS UN BUT PRÉCIS**

10. **RAPPELEZ-VOUS QUI VOUS ÊTES**

OUVREZ CE LIVRE ET
ENFONCEZ LA POIGNÉE

LE MANUEL D'INSTRUCTIONS DE VOTRE CARRIÈRE

Votre carrière vaut-elle la peine d'être aimée?

Est-ce qu'il vous pousse des boutons à la seule idée d'occuper un emploi bêtifiant, de brasser des papiers jusqu'à ce que vous puissiez vous sauver à 16 h 59? Voulez-vous un travail qui a du sens et vous rend heureux? Voulez-vous relancer votre carrière, vous ouvrir à de nouvelles perspectives et avoir hâte au lundi matin?

Si c'est le cas, bienvenue dans ces pages. Nous sommes entre amis.

Ce livre conçu pour vous aider à bâtir une carrière qui vaut la peine d'être aimée ne se lit pas comme un quelconque guide de carrière. Il ne se limite pas à vous motiver, comme les autres, à « tenir bon » et va au-delà des conseils superficiels sur la vigueur de votre poignée de main. Il s'attarde plutôt à un élément beaucoup plus efficace : bâtir la version suprême de vous-même.

La gestion de carrière radicale est un processus viscéral, intuitif et parfois déraisonnable. C'est une aventure dynamique qui ne s'intellectualise pas. Nous gaspillons souvent trop de temps à mettre en page notre curriculum vitæ sans nous arrêter pour réfléchir à ce que nous voulons faire du reste de notre vie.

La réalité, c'est que vous possédez déjà tout ce dont vous avez besoin pour devenir exceptionnel. Vous ne le découvrirez pas dans un livre, mais en vous. Cet ouvrage vous aidera à visualiser et à construire un avenir sans compromis, pièce par pièce.

MISE EN GARDE : Ce livre s'autodétruira automatiquement s'il est abandonné dans une bibliothèque poussiéreuse.

J'appelle ces pièces des *Vérités radicales*. Certaines peuvent trouver un écho dans votre esprit et traduire en mots vos aspirations et vos peurs les plus profondes. D'autres pourraient devenir votre devise. Certaines pourraient vous emmerder et d'autres vous faire sentir brillant une journée et inutile le lendemain, selon votre humeur. Pas de problème. Si vous êtes du genre à détester lire les livres de la première à la dernière page, ouvrez celui-ci à n'importe quelle page et voyez ce que le hasard vous réserve à ce moment précis. Puis ouvrez le Coffre à outils et puisez-y ce qui vous servira à mettre en œuvre cette Vérité radicale.

Peut-être trouverez-vous dans ce livre votre propre devise. Si c'est le cas, découpez la page, transcrivez-la sur un bout de papier ou photocopiez-la. Affichez-la sur votre ordinateur, sur le miroir de votre chambre ou à n'importe quel autre endroit pour y puiser de l'inspiration par les froides soirées d'hiver.

Il est ardu de mettre en action l'ensemble des vérités simultanément et ce n'est pas une question de tout ou rien. Alors procédez par étape, une vérité à la fois.

Même s'il s'agit d'un ouvrage sur la carrière, vous remarquerez que beaucoup de Vérités radicales ne semblent pas s'appliquer à votre parcours professionnel. En effet, pour les gens de carrière, le travail nourrit leur vie et vice-versa. Le travail est personnel et touche tous les aspects de notre vie. Si votre travail vous stimule, vous éprouverez plus facilement de l'enthousiasme pour les autres aspects de votre vie. En excellant au travail, vous excellerez aussi dans de nombreux autres domaines.

Une dernière chose : de nos jours, dans le monde des affaires, il n'y a ni bonne ni mauvaise réponse.

Devriez-vous porter un tailleur à la réunion? Qui sait. Est-il bien vu de télécopier un curriculum vitæ? C'est selon. C'est pourquoi les vérités de ce livre portent ce nom : ce ne sont pas des règles ni des paroles d'évangile. Il ne s'agit pas d'absolus. En fait, ce livre ne comporte qu'un seul absolu : soyez la personne que vous voulez être.

Vous pourriez découvrir des solutions entièrement différentes pour créer une carrière qui vaut la peine d'être aimée et je vous féliciterai d'avoir trouvé votre propre voie. Lorsque cela se produira, j'espère que vous prendrez quelques minutes pour m'en parler à l'adresse www.your-radical-path.com.

QU'EST-CE QUE LA GESTION DE CARRIÈRE RADICALE AU JUSTE?

Excellente question

D'ABORD, PERMETTEZ-MOI D'EXPLIQUER CE QUE LA GESTION DE CARRIÈRE N'EST PAS.

SE TUER À L'OUVRAGE. Vous travaillez probablement déjà assez. La gestion de carrière radicale vous aidera à travailler de façon plus intelligente, plus rapide et plus efficace, en concentrant mieux vos énergies, en vous fixant des objectifs plus élevés et en connaissant mieux votre potentiel.

GRAVIR LES ÉCHELONS DE L'ENTREPRISE. Les gens de carrière veulent réussir, il n'y a pas de doute. Mais les promotions sont un sous-produit d'une belle carrière, et non un but en soi. Lorsque vous travaillerez au maximum de vos capacités, vous monterez, tout naturellement.

PARTIR EN QUÊTE D'UN MEILLEUR SALAIRE. L'argent peut être, ou non, un élément qui vous fait apprécier votre emploi. Certains gens de carrière font des tonnes d'argent, d'autres ont troqué un gros salaire contre une grande passion. Mon mari a abandonné une carrière de haut vol pour rester à la maison avec nos enfants parce que c'est cette carrière-là qui mérite son amour.

QUITTER SON EMPLOI. Donner sa démission est trop facile. Se contenter de remplacer une carte professionnelle par une autre est rarement un point culminant. Plutôt que de changer d'emploi, changez votre rôle.

DEVENIR UN BOURREAU DE TRAVAIL IMPITOYABLE. Il ne faut pas chercher la réussite à tout prix. Aucun avenir ne vaut la peine de compromettre vos principes. Jamais.

MAINTENANT QUE NOUS AVONS FAIT CETTE MISE AU POINT,
VOICI CE QU'EST LA GESTION DE CARRIÈRE RADICALE.

C'est un processus fondamental, merveilleux, terrifiant,
extrêmement difficile, mais aussi infiniment gratifiant
qui consiste à transformer ce que vous êtes en ce que
vous pouvez être de mieux.

Lorsque vous gérez votre carrière, vous devenez la version la plus efficace, la plus précieuse et la plus accomplie de vous-même. Souvenez-vous de cette époque où votre rendement atteignait son paroxysme, où vous surpassiez largement les attentes et où tout le monde en était renversé : vous étiez en plein processus d'évolution de carrière.

Ce processus va beaucoup plus loin que l'argent ou la célébrité : il vous investit du pouvoir de faire, d'avoir et d'être ce que vous aimez. La gestion de carrière radicale vous permet de maîtriser votre avenir plutôt que de le subir. Elle vous confère le vrai pouvoir : celui de devenir la meilleure version de vous-même. Et ce n'est pas grave si vous ignorez ce à quoi votre meilleur *moi* ressemble, comment il vous fera sentir ou même ce qu'il fait au quotidien. La gestion de carrière radicale consiste à déterminer tout ça.

Les personnes qui souhaitent du changement n'ont pas peur de provoquer de grandes choses qui auront des impacts sur leur vie personnelle ou l'ensemble de leurs activités. Elles font fi du statu quo et bâtissent quelque chose de plus grand qu'elles. Elles ont le courage d'imaginer la version ultime d'elles-mêmes et l'audace de donner vie à cette vision. Pensez à Richard Branson, fondateur de Virgin, un empire audacieux, ou à Steve Jobs et à son hyperbranché iPod. Sont-ils des rebelles? Des maîtres de l'industrie? Les deux, en fait, mais ils gèrent aussi leur carrière de façon radicale.

Les gens de carrière jouent un rôle essentiel dans toutes les entreprises. Ils sont faits pour relever des défis et s'attendent à la même ardeur de leurs collègues. Souvent, en optimisant leur propre rendement, ils font augmenter les revenus de l'entreprise et regonflent le moral des troupes. Pour cette raison, les gens de carrière constituent la ressource la plus précieuse de toutes les entreprises.

Les gens de carrière deviennent les employés les plus précieux des entreprises pour une raison bien simple : ils vivent en fonction de ce qui est possible plutôt que de se cantonner dans la situation actuelle.

Bien entendu, une telle attitude exige d'enfreindre certaines règles. C'est pourquoi ce livre ne s'adresse pas à tout le monde. Les fainéants ne l'aimeront pas, les paresseux n'y comprendront rien et les bureaucrates le brûleront.

Mais tenons pour acquis que vous êtes déterminé à démolir certaines formules conventionnelles. À quoi ressemblera votre avenir sans compromis? Quel genre de vie votre carrière pourrait-elle vous aider à bâtir? Qu'est-ce qui vous retient?

C'est exactement ce que nous allons faire ici.

La naissance des Vérités radicales

On doit être un peu fou pour faire quoi que ce soit de grandiose. Eh bien moi, j'ai fait une vraie folie : j'ai quitté l'agence de publicité que j'avais fondée à l'âge de 27 ans pour ouvrir à Los Angeles une succursale de l'agence de pub la plus branchée au pays. Je prenais un risque professionnel et financier énorme : plus de pression pour moins d'argent. Par contre, il s'agissait d'un emploi ultrastimulant, le défi était exceptionnel et l'entreprise, géniale. Nous avons vécu une inauguration fabuleuse avec des journalistes, des célébrations et des félicitations provenant des quatre coins du monde.

Mais l'inauguration a eu lieu le 10 septembre 2001. Inutile de rappeler ce qui est survenu le lendemain.

Tout le monde a vécu un véritable cauchemar au cours de l'année qui a suivi. Je suis très reconnaissante de n'avoir perdu ni membres de ma famille ni amis. Mais j'ai perdu mon identité. À titre de directrice de la création et de l'administration d'une nouvelle entreprise, j'étais responsable de tous les emplois. Comment donner un essor à l'agence en plein marasme économique?

Après avoir évalué l'ensemble de la situation et demandé aux autres d'en faire autant, je croulais sous le stress et un sentiment d'échec dont je n'arrivais pas à me défaire. J'ai accéléré le rythme et travaillé cent heures par semaine pour survivre pendant la pire année jamais vécue par l'industrie de la publicité.

Seul soutien de ma famille, j'étais terrorisée à l'idée de perdre mon emploi. Toutefois, c'est la menace d'un échec personnel qui me déchirait le plus. Pour la première fois de ma vie et malgré mes efforts, je n'arrivais pas à obtenir de bons résultats. Cela m'a bouleversée.

En vérité, il ne m'était jamais venu à l'esprit que mes meilleurs efforts ne suffiraient pas toujours.

J'avais toujours adoré travailler, toujours. Je me fixais des objectifs élevés que je poursuivais avec passion. Pourtant, au cours de l'année qui a suivi, j'ai vu avec horreur ma carrière s'en prendre à moi.

EN CAS D'URGENCE

Toutes mes tentatives échouaient. Ma confiance tombait à zéro, entraînant mon rendement dans sa chute.

Toutes sortes de problèmes me préoccupaient : Comment reprendre la maîtrise de ma carrière plutôt que de me sentir menée par elle? Pourquoi me mettrais-je à prendre des décisions motivées par la peur plutôt que par les possibilités? Quand le travail a-t-il cessé de m'amuser pour devenir… du travail?

J'ai écumé sans succès les rayons des librairies à la recherche d'ouvrages qui m'aideraient à aller de l'avant. Le livre dont j'avais besoin n'existait pas. J'ai donc commencé à regarder à l'intérieur de moi et j'y ai trouvé mes propres « vérités ». La seule chose que je savais : les circonstances ne m'accableraient pas si je me concentrais sur les éléments que je maîtrisais.

Bien entendu, je n'étais pas la seule à ignorer quoi faire. La plupart d'entre nous étions bloqués, seuls les avocats spécialisés en faillite prospéraient. À cette époque, je recevais environ 50 curriculum vitæ par semaine et puisque je n'avais aucun emploi à offrir, j'ai fini par devenir le mentor de dizaines de personnes. Le magazine *Creativity* m'a invitée à expliquer mes stratégies. Dans les semaines suivant la publication de mon article sur la gestion de carrière radicale, plusieurs centaines de lecteurs m'ont écrit ou ont communiqué avec la direction du magazine pour faire savoir comment ce texte les avait touchés.

Ces réactions des lecteurs m'ont donné une leçon d'humilité parce que je n'avais pas toutes les réponses. La vérité, c'est que la rédaction même de l'article était un accomplissement de gestion de carrière radicale, une façon de considérer l'ensemble de la situation, au-delà de ma situation immédiate. Conseiller d'autres personnes sur leur parcours professionnel m'a aidée à trouver un sens au mien.

Peu de temps après, mon mari et moi avons appris avec une grande joie que nous attendions des jumeaux. Des jumeaux! Mon sentiment d'échec s'est évanoui avec l'annonce de l'arrivée providentielle de ces deux petites filles. Nous pouvions nous concentrer sur cet événement positif qui représentait tout pour nous.

Notre joie a été de courte durée. Un des bébés est mort après quelques mois de gestation.

Les médecins m'ont immédiatement forcée à garder le lit pour sauver l'autre enfant. J'ai tout laissé en plan et je me suis alitée, complètement effondrée. C'était pire qu'un deuil, c'était du désespoir.

Couchée sur le dos pour sauver un bébé, je me suis vue forcée de contempler la carrière qui avait peut-être causé la mort de ma fille. Devais-je en blâmer mon éthique du travail à tout prix? Comment pourrais-je arriver à travailler dans la joie comme avant? Sans emploi et clouée au lit, j'étais littéralement seule et impuissante.

Puis mon destin a pris forme progressivement (dans ma boîte de courrier électronique, qui l'eût cru!). Des gens que j'avais conseillés au fil des ans communiquaient avec moi pour me faire part de leurs progrès et me demander mon avis. En fait, c'étaient eux qui me guidaient dorénavant. Je me suis mise à suivre mon propre conseil :

Prenez possession de votre carrière. Agissez. Faites ce que vous êtes. Reprenez votre vie en main.

Je me suis mise à écrire sur mon ordinateur portable juché en équilibre précaire sur mon gros ventre. J'ai écrit pour des gens comme moi, des gens à la recherche d'une carrière qui leur offrirait plus que la réussite, des gens qui cherchaient un sens. Plus j'approfondissais mes recherches et apprenais ce qu'était une carrière qui mérite d'être aimée, plus je retrouvais un sens à ma vie. J'avais déjà guidé des gens par l'entremise de mes textes, mais cette fois-ci, c'était différent. Maintenant je pouvais m'adresser à eux avec une compassion inconditionnelle en comprenant très bien qu'évoluer est un véritable combat.

Les mois passaient, la grossesse progressait bien et moi aussi. Le bébé grossissait tellement que ses coups de pieds faisaient valser mon ordinateur.

J'ai rédigé le livre que j'avais désespérément besoin de lire : un ouvrage expliquant comment reprendre possession de notre carrière, en dépit de circonstances excessivement difficiles.

J'ai mis le point final au bouquin que vous tenez entre les mains quelques jours seulement avant la naissance de notre belle Azalea.

Avec du recul, je constate que tout s'est déroulé comme il se devait. Toute douloureuse et sombre que fut cette période, elle m'a forcée à prendre du recul pour observer ma vie. Mon identité avait été dépouillée de l'emploi de haut vol, du salaire à l'avenant et des prix qui souligaient mes réussites. Je devais confronter qui j'étais – moi comme personne – sans titre ni description de poste. Je devais tout réapprendre sur la notion de réussite, en partant de moi. J'ai finalement compris. La réussite ne consiste pas à être la meilleure; la réussite est un processus continu pour devenir *le meilleur de soi-même.*

Vous connaissez maintenant mon secret. *Gestion de carrière radicale* est en fait une autobiographie.

Je ne suis pas tombée sur les idées de ce livre par hasard et je ne les ai pas grapillées dans un programme de MBA. Je les ai méritées et je souhaite maintenant vous en faire profiter.

J'ai infiniment de respect pour vous, que vous soyez sur le point d'entreprendre votre processus de gestion de carrière radicale ou au beau milieu de votre aventure. Ce parcours peut être effrayant, difficile et douloureux, mais en voici le secret :

Ne vous laissez pas intimider par la peur, les difficultés et la douleur. La peur, les difficultés et la douleur sont justement les éléments qui feront naître le meilleur de vous-même.

ဢ

Il faut noter que l'accouchement exige moins de médicaments antidouleur que la naissance d'un livre.

La réussite ne consiste pas à être le meilleur.

La réussite est un processus continu
pour devenir le meilleur de soi-même.

LE LEXIQUE
DES TERMES-CLÉS
DE LA GESTION DE CARRIÈRE RADICALE

ALCHIMIE : Processus consistant à transformer en or une situation médiocre (comme une relation boiteuse ou un emploi minable).

ASSERVISSEMENT CONTRAC-TUEL : Fait de se sentir piégé dans un emploi médiocre parce que l'on n'a pas les compétences, le réseau, les marques d'approbation ni l'expérience voulus pour quitter en position de force. Voir aussi « se pointer pour pointer ».

CAPITAL CAPTIF : Investissement de temps et d'efforts que l'on ne peut emporter avec soi en quittant un emploi. Par exemple, votre moyenne au bâton lorsque vous étiez membre de l'équipe de balle-molle de l'entreprise. Voir aussi « asservissement contractuel ».

CAPITAL PORTATIF : Capital personnel qui améliore à long terme, au-delà de votre emploi actuel, vos possibilités de carrière et votre valeur sur le marché. Par exemple : votre expérience, vos compétences, votre réseau et votre réputation dans l'industrie. Voir aussi « capital captif ».

CARRIÈRE : Ensemble du parcours professionnel d'une personne, incluant chaque emploi et occupation. Voir aussi « travail ».

CHRYSALIDE : État transitoire au cours duquel votre développement n'est pas évident à l'œil nu, mais aboutira en définitive à une transformation spectaculaire.

CLASSE ENTREPRENEURIALE : Catégorie émergente de professionnels en entreprises qui assument la responsabilité de leur rendement plutôt que de suivre aveuglément les normes bureaucratiques.

COMPRESSION TEMPORELLE : Capacité à tirer le maximum du temps à sa disposition pour maximiser le rendement. Le multitâche à son paroxysme.

COURRIELOMANE : Personne qui consulte constamment sa messagerie électronique (normalement sur son BlackBerry, ce qui explique aussi le surnom de « CrackBerry »).

DISTRIBUVORE : Employé qui se nourrit presque exclusivement de croustilles, de friandises et d'autres aliments vides vendus dans les machines distributrices de son entreprise.

ÈRE DE L'INTENSITÉ : Ère naissante où nos expériences deviennent notre matière première la plus précieuse. Au fur et à mesure que la vie se resserre autour de nous, nos expériences deviennent de plus en plus limitées et nous cherchons des moyens de tirer le maximum de chaque moment.

FC : Frein à la carrière, par exemple faire des avances à votre cliente pendant le *party* de Noël.

GESTION DE CARRIÈRE : Prendre les mesures nécessaires pour devenir la version la plus efficace, la plus précieuse et la plus accomplie de soi-même.

GIGOLO DE LA *JOB* : Putain du travail. Personne qui passe d'un emploi à l'autre de manière immorale, sans se préoccuper de son entreprise ni de son avenir.

IMPULSION : Vitesse à laquelle vous vous attaquez à vos objectifs. On peut parler aussi d'élan, de circonstances favorables.

INDÉCISION TOURISTIQUE : Anxiété causée par la sensation de désorientation ou l'absence d'instructions claires.

INSENSIE : État d'euphorie nerveuse et frénétique causé par un excès de caféine, d'adrénaline et de stress.

MANTRA : Énoncé de mission de votre vie, ce qui vous motive à vous lever le matin.

MARQUE PERSONNELLE : Version améliorée de votre réputation constituée du total de vos qualités (p. ex. vos compétences, vos connaissances et votre caractère) moins vos défauts (p. ex. votre mauvaise habitude de médire des collègues de travail).

OPTION C : Troisième option dans une négociation de tout genre. L'option C est une ligne d'action créative pour contourner un obstacle lorsque les options A et B ne sont pas acceptables.

POING DE VELOURS : Façon délicate de communiquer des informations ou des opinions blessantes de façon à adoucir leur effet.

PORTATITE : Éruption cutanée irritante qui apparaît sur les cuisses lorsque l'ordinateur portable y repose trop longtemps.

PUD : « Professionnels urbains déprimés » baptisés « Depressed Urban Professionals » par le réseau CNN.

SE POINTER POUR POINTER : Fait de se présenter au travail sans but ni motivation, pour tuer le temps. Voir aussi « asservissement contractuel ».

TRAVAIL : Emploi actuel dans son contexte global (incluant les tâches quotidiennes, les collègues, le titre et l'espace de travail). Un travail n'est qu'une composante de la carrière (voir aussi ce mot).

LE COFFRE À OUTILS
DE LA GESTION
DE CARRIÈRE

Dans chaque chapitre, vous
trouverez le « Coffre à outils
de la gestion de carrière »
qui vous aidera à mettre en œuvre
les Vérités radicales.

Voici la fonction de chaque outil :

INFO À EMPORTER

Allez à l'adresse Web identifiée par ce symbole pour découvrir des trucs vraiment pratiques. Chaque microsite comporte un outil, une idée ou une inspiration qui pourront vous aider à poursuivre votre propre processus de gestion de carrière radicale. Pour avoir accès à toute la panoplie d'outils, allez à www.radicalcareering.com (site en anglais seulement).

THE RADICAL 1000

Comment vous comparez-vous à d'autres personnes qui ont décidé de gérer leur carrière? Consultez les résultats de notre sondage innovateur auprès de plus d'un millier de professionnels de la Génération X de toutes les régions des États-Unis.

CONSEIL DE PRO

Idées originales proposées par certains des experts de la gestion de carrière les plus respectés au monde.

TRUC D'INITIÉ

Trucs privilégiés exclusifs proposés par des initiés.

PAROLES DE GOUROU

Citations de gourous de la culture et d'experts en tout genre.

LA VRAIE VIE

Courtes anecdotes qui illustrent une vérité.

APARTÉ SUR L'INTENSITÉ

Nous vivons à l'Ère de l'intensité. Voici comment s'y adapter.

MÉTHODE RADICALE

Obtenez des résultats radicalement meilleurs dans un domaine particulier, comme les téléconférences.

LE SONDAGE
« THE RADICAL 1000 »

Étonnamment, il existe peu de recherches récentes sur les comportements, les priorités et les croyances des professionnels. De toute évidence, les bouleversements d'ampleur tectonique survenus dans les entreprises ont entraîné un sentiment de découragement et d'incertitude largement partagé pendant que le milieu des affaires se réinvente jour après jour. Mais qu'en est-il des gens qui travaillent dans cet univers? Quels sont leurs problèmes les plus criants? Quelles sont leurs sources de motivation, de découragement et d'inspiration? Qu'est-ce que les professionnels d'aujourd'hui veulent vraiment tirer de leur carrière?

Les changements qui se produisent chez ces mêmes professionnels sont moins évidents que les mutations dans les entreprises, mais tout autant perturbants. Les vedettes montantes conçoivent la réussite autrement. Plutôt que d'être motivés par les avantages simplistes ou les responsabilités immédiates d'un EMPLOI, ces professionnels carburent à une conception individualiste et à long terme de la CARRIÈRE. Ils représentent une nouvelle race de professionnels qui s'adaptent à des règles qui changent chaque matin pour être abolies à l'heure du *lunch*.

Voici maintenant l'arrivée d'une nouvelle classe entrepreneuriale* : les gens de carrière.

Comment et pourquoi les gens de carrière réussissent-ils?

Pour élaborer et mettre en place une étude exclusive, j'ai fait appel à Linda Jeo Zerba, une brillante stratège. Deputy Consulting, son entreprise de recherche, a déployé son équipe à New York, Atlanta, Portland, San Francisco, Washington, Seattle et Austin pour mener des entrevues face à face. Les enquêteurs ont également fait des entrevues par téléphone et courriel dans les zones métropolitaines de Chicago, Los Angeles, Houston et Denver, entre autres. En tout, ils ont interrogé plus de 1 000 personnes.

Pour obtenir un échantillon plus représentatif, nous avons visé la génération X (28-48 ans). On peut à peine parler d'une niche dans ce cas puisque les 65 000 000 de travailleurs de ce groupe d'âge représentent plus du tiers de la population active. Nés entre 1960 et 1980, les plus jeunes ont déjà bien entamé leur carrière alors que leurs aînés auront bientôt 50 ans. Ils sont diplômés universitaires, mais plus jeunes que les *baby boomers*.

* CLASSE ENTREPRENEURIALE : Catégorie émergente de professionnels en entreprises qui assument la responsabilité de leur rendement plutôt que de suivre aveuglément les normes bureaucratiques.

Conclusions de l'étude

POUR LES GENS DE CARRIÈRE, LA RÉUSSITE EST UN CHOIX.

Dans toute l'étude sans exception, les répondants ont choisi la voie du contrôle personnel plutôt que l'acceptation passive. À la différence de la génération précédente, ils ne travaillent pas avec acharnement parce qu'ils le « doivent », mais bien parce qu'ils croient que leur comportement peut faire une différence.

Quel est le facteur de réussite le plus important?
Le talent inné : 8,8 %
Le travail acharné : 91,2 %

Quel facteur a exercé le plus d'influence sur votre réussite?
La chance : 2,3 %
L'ensemble de vos compétences : 15,6 %
Votre réputation : 15,8 %
Vos gestes quotidiens : 29,2 %
Votre comportement : 37,1 %

Vous préférez un emploi…
qui vous assure une sécurité : 15,6 %
qui vous ouvre de nouvelles
  perspectives : 84,4 %

LES GENS DE CARRIÈRE PRÉFÈRENT LE RESPECT À L'ARGENT.

Refusant de se satisfaire de leur chèque de paie, les gens de carrière accordent une grande valeur aux marques de reconnaissance, au soutien et à la possibilité de travailler au maximum de leurs capacités.

Quelle est la chose la plus importante à obtenir de votre employeur?
Un gros chèque de paie : 11,2 %
Le respect : 88,8 %

Comment imaginez-vous l'enfer professionnel?
De longues heures de travail : 3,8 %
Un salaire faible : 4,7 %
Être supervisé de trop près : 15,6 %
Le manque de respect du patron ou
  des collègues : 75,9 %

LES GENS DE CARRIÈRE RÉFLÉCHISSENT DE MANIÈRE RÉVOLUTIONNAIRE.

En réalité, ils assimilent différemment l'information. Ils ont été élevés en jouant au Nintendo et en écoutant MusiquePlus, ils jonglent mentalement et exécutent plusieurs tâches à la fois avec facilité, et préfèrent un format non linéaire aux structures rigides. Leur esprit convient parfaitement à l'Internet et à d'autres formes de contenu non structurées. (Soit dit en passant, c'est la raison pour laquelle ce livre ressemble davantage à un magazine ou à un site Web qu'à un ouvrage d'affaires conventionnel.)

Quel énoncé décrit votre façon d'aborder votre carrière?
Penseur linéaire (une chose à la fois) : 27,8 %
Penseur latéral (plusieurs idées simultanément) : 72,2 %

Vous préférez travailler…
dans le cadre d'une structure établie : 18,7 %
dans un environnement qui stimule l'esprit d'initiative : 81,3 %

Comment vous sentez-vous lors de grands changements?
L'inconnu me stresse : 11,4 %
Les nouvelles perspectives m'enthousiasment : 88,6 %

LES GENS DE CARRIÈRE AGISSENT DE FAÇON RÉVOLUTIONNAIRE.

Ils tiennent à leur indépendance et refusent de permettre à leur employeur de définir leur avenir à leur place, mais plutôt qu'une rébellion menaçante, il s'agit d'une volonté consciente de choisir l'option la plus intelligente plutôt que de suivre aveuglément la majorité.

Quel énoncé décrit le mieux votre façon d'aborder votre carrière?
Attendre des résultats au fil du temps : 13 %
Atteindre le maximum chaque jour : 87 %

Que préférez-vous?
Être dirigé : 4,5 %
Travailler de façon autonome : 95,5 %

LES GENS DE CARRIÈRE SONT OPTIMISTES ET INTÈGRES.

À la différence de Gordon Gekkonian qui affirmait que « l'avidité est avantageuse » pour assurer la réussite, les gens de carrière cherchent un emploi qui leur procure de la joie et donne un sens à leur travail. Et bien qu'ils acceptent de compromettre des objectifs à court terme en vue d'atteindre la réussite à long terme, ils refusent de renoncer à leurs principes.

Que feriez-vous pour améliorer vos chances de réussite à long terme?
Mentir sur l'université où vous avez étudié : 13,8 %

Travailler toutes les fins de semaine pendant un an : 26,4 %
Consentir à une grosse réduction de salaire : 29 %
Apprendre une langue étrangère : 92,6 %

Quel revenu annuel vous attendez-vous à gagner lorsque vous aurez atteint le sommet de votre carrière (exprimé en dollars américains de 2005)?
Plus de 300 000 $: 11,8 %
De 50 000 $ à 100 000 $: 15,3 %
De 100 000 $ à 200 000 $: 23,1 %
De 200 000 $ à 300 000 $: 49,8 %

LES GENS DE CARRIÈRE VEULENT AVANT TOUT UNE CARRIÈRE QUI MÉRITE D'ÊTRE AIMÉE.

Que choisiriez-vous?

Un emploi que JE DÉTESTE, mais qui m'assure un revenu trois fois supérieur à mon salaire actuel : 13 %

Un emploi que J'ADORE, mais qui m'assure un salaire moitié moindre que je gagne présentement : 87 %

Avoir du pouvoir, c'est…

être célèbre : 2,8 %

gagner beaucoup d'argent : 12 %

avoir accès aux gens les plus importants : 16,3 %

être libre de dire non et de s'en aller : 32,3 %

exercer un contrôle absolu sur son emploi du temps : 36,7 %

Pour les gens de carrière, « entrepreneurial » n'est pas seulement un mot à la mode, c'est un mode de vie.

Malheureusement, les entreprises conformistes sous-utilisent souvent leurs employés les plus intéressés à développer leur carrière. Ils ont tendance à voir l'entrepreunariat comme un manque de loyauté, l'indépendance comme un signe de défi et l'innovation comme un manque de cohérence. Toutefois, les entreprises futées se rendent compte que ce talent constitue leur ressource la plus précieuse. Ils dotent leurs employés ambitieux d'une stratégie et de paramètres, mais évitent la microgestion à échelons multiples. Puisque ces personnes cherchent à donner une impulsion à leur carrière *et* à l'entreprise qui les emploie, celle-ci ne peut pas les caser dans les systèmes standardisés dépassés.

Les conclusions de cette étude auront des conséquences importantes pour toute personne intéressée à engager, diriger ou conserver à son emploi des personnes talentueuses qui ont un rendement élevé.

INFO À EMPORTER

Comment peuvent se traduire les conclusions du sondage *The Radical 1000* dans votre situation et celle de votre entreprise ou de votre industrie? Vous pouvez consulter gratuitement le rapport complet (en anglais seulement) sur le site **www.radical1000.com**.

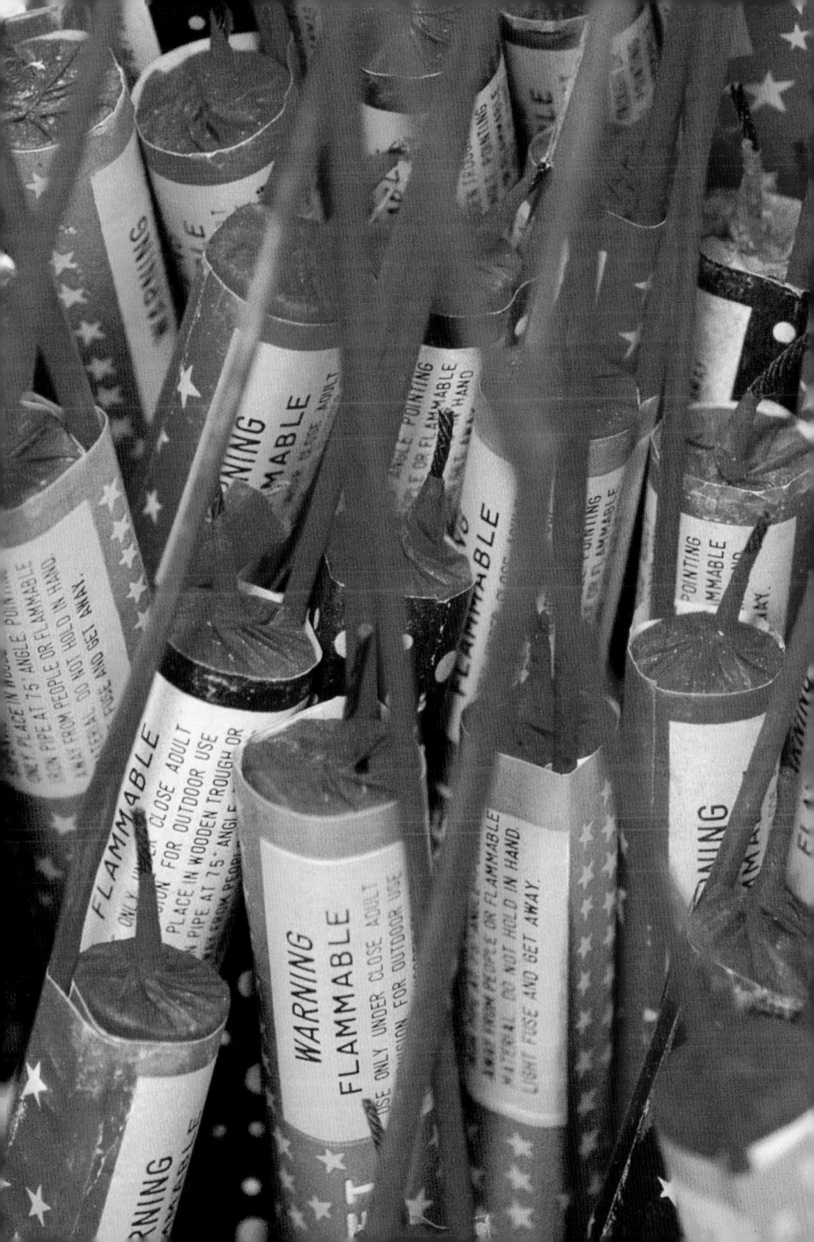
WARNING
FLAMMABLE
USE ONLY UNDER CLOSE ADULT
MATERIAL. DO NOT HOLD IN HAND.
LIGHT FUSE AND GET AWAY.

Vous pouvez toujours
réinventer votre carrière.
Mais ce pouvoir comporte
une responsabilité de taille :
vous devenez responsable
de votre propre réussite.

~

REGARDEZ LA RÉALITÉ EN FACE

01

BIENVENUE À L'ÈRE DE

Vous souvenez-vous lorsque le temps et l'argent étaient nos biens les plus précieux? Aujourd'hui, il y a une autre pénurie : les expériences de vie. Alors que le monde devient plus concentré, nos expériences sont réduites au minimum. Nous essayons de ramener tout à son essence, en profitant de la moindre seconde de nos vacances, des moments passés avec nos proches, de nos séances d'entraînement, et même de notre temps personnel. Au travail, les échéanciers se resserrent, les budgets diminuent, mais les attentes augmentent.

Tout le monde ne profite pas de cette Ère de l'intensité, mais il s'agit bien d'une nouvelle réalité. Et elle ouvre des perspectives extraordinaires pour les gens de carrière comme vous. Votre seuil de tolérance élevé au stress et votre goût du risque vous permettent de réussir malgré l'incertitude et la confusion. Votre facilité à effectuer plusieurs tâches simultanément s'avère un atout lorsque vous buvez un cappuccino tout en animant une téléconférence… *à votre téléphone cellulaire*… ***en pleine circulation***… *AU VOLANT DE VOTRE AUTO MANUELLE.*

L'INTENSITÉ!

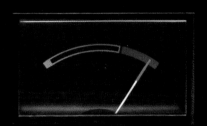

LA RÉVOLUTION

EST LE NOUVEAU STATU QUO.

Le changement inquiète tout le monde. La plupart s'empêchent de progresser à cause de cette anxiété et choisissent la sécurité plutôt que les gestes d'éclat. Ils ne prennent pas de risques, mais souffrent d'insatisfaction. Ils se recroquevillent sous leur bureau en espérant éviter les grenades qui tombent. Eh bien, ces personnes sont sur le point d'être encore plus mal à l'aise puisque le changement n'est plus l'exception, mais la règle. Les lois immuables du milieu des affaires sont choses du passé. La passion et l'autonomie ont supplanté la sécurité, la stabilité et l'uniformité comme traits de caractère dominants.

Mesdames et Messieurs, celui que l'on croyait le plus faible vient d'être promu au sommet de la pyramide alimentaire.

LE BON FILON, A FILÉ.

Il était une fois des professionnels qui obtenaient argent et sécurité en échange de leurs compétences et de leur expérience. Dans la mesure où ils se présentaient au travail pendant suffisamment d'années sans interruption, ils pouvaient compter sur une augmentation annuelle de salaire de 4 %, le pique-nique annuel des employés et les promotions prévues dans l'organigramme.

Cette soi-disant « sécurité » s'est évaporée et c'est tant mieux! Les modèles de carrière dépassés ont confiné les professionnels dans un rôle passif en leur dictant le montant de leur salaire, le moment de leur promotion et la description de leur poste. Ces employés tiraient leur sentiment de sécurité des autres, plutôt que de le trouver en eux-mêmes.

Aujourd'hui, il n'y a rien d'assuré, et c'est une bonne chose! On ne vous garantit pas cette hausse de 4 %, ce qui veut aussi dire que vous n'êtes pas enchaîné à votre emploi. Votre description de poste s'allonge, ce qui signifie que vous pouvez accomplir plus de tâches. Plutôt que de tourner en rond en attendant une promotion, vous bâtissez proactivement votre carrière, étape par étape.

LE CHEMINEMENT DE CARRIÈRE TRADITIONNEL EST DEVENU AUSSI RARE QUE LES MONTRES EN OR À LA RETRAITE

L'époque de la loyauté aveugle et de la hiérarchie linéaire est bel et bien révolue, tout comme les cravates rouges des PDG et les grosses allocations de dépense. Bye bye aux transactions conclues sur le terrain de golf, adieu aux pyramides hiérarchiques d'une hauteur vertigineuse! Si vous y tenez, amusez-vous au pays perdu des pratiques d'affaires archaïques et des repas du midi bien arrosés.

En notre Ère de l'intensité, vous maîtrisez votre réussite. Vous décidez comment sera votre avenir. Plutôt que de vous faire évaluer en fonction de votre obéissance passive ou de votre bienveillance à l'endroit de votre entreprise, vous actionnez les leviers de votre réussite : votre capacité intellectuelle, votre façon de voir les choses, votre marque personnelle et tout ce que vous apportez à la fête. MAINTENANT, ICI, AUJOURD'HUI.

MÉTHODE RADICALE

LE COURRIEL DU CONNAISSEUR

Vous souvenez-vous de cette scène de l'émission I Love Lucy *où le convoyeur défilait trop vite pour que Lucy puisse enlever les bonbons qui s'y trouvaient? Cela vous rappelle-t-il votre boîte de courriel? Randy Woodcock, cofondateur d'IT Masterminds Square One Labs, vous propose trois manières élégantes de faire de la compression temporelle* grâce à la technologie.*

– Assurez-vous de configurer votre appareil de courriel portatif comme votre ordinateur pour que les messages aient exactement la même disposition. Les messages que vous envoyez avec votre BlackBerry portent tous la mention « De mon BlackBerry », ce qui trahit que vous n'êtes pas à votre bureau. Enlevez cette option de vos réglages de préférence.

– Faites fonctionner votre ordinateur de bureau par télécommande grâce à un fournisseur tel GoToMyPC.com peu importe où vous êtes, au café du coin ou sur une île du Pacifique.

– Si vous ne pouvez absolument pas vous permettre d'être inaccessible, munissez-vous de deux types de téléphones cellulaires pour maximiser la couverture (par exemple, un de technologie GSM et l'autre en CDMA).

* COMPRESSION TEMPORELLE : Tirer le maximum de temps à sa disposition pour maximiser le rendement. Le multitâche à son paroxysme.

FAITES UN CHOIX

☐ **QUALITÉ DU TRAVAIL**

☐ **QUALITÉ DE VIE**

☐ **RÉMUNÉRATION DE QUALITÉ**

Votre priorité est-elle d'être la vedette dans votre milieu ou bien de rentrer à la maison à 17 heures? Ou encore d'avoir un portefeuille bourré d'options d'achat d'actions? Tous ces choix se valent, mais aucun emploi ne peut vous offrir tout ça, du moins pas encore. Vous n'avez pas à en choisir un au détriment des autres, mais vous devez classer vos objectifs à long terme par ordre de priorité. Une fois que vous savez ce que vous êtes et ce que vous voulez, il est plus facile d'orienter votre temps et votre talent de façon à mener une vie heureuse dans l'ensemble.

Pour être heureux en cette Ère de l'intensité, vous devez trouver une entreprise dont les priorités sont conformes aux vôtres. Si vous vous concentrez sur un rendement exceptionnel, mais votre employeur se limite aux profits à court terme, lui et vous ne partagez pas les mêmes objectifs. Vous êtes un artisan dans une usine de gadgets.

Bien entendu, au bout du compte, la qualité de votre travail vous donne la capacité de choisir votre horaire, de gagner un bon salaire et d'éprouver le plaisir de savoir que vous êtes à votre meilleur. Dans mon cas, je tiens à faire un travail de qualité et à profiter de temps avec ma famille. Mais comme n'importe quel parent vous le dira, ces deux priorités semblent trop souvent incompatibles. Ma solution? Je suis au travail dès l'aube pour terminer mes journées à 17 heures. De cette façon, je ne compromets ni mon travail ni le temps passé en famille… seulement ma capacité de rester éveillée pour écouter les émissions de fin de soirée.

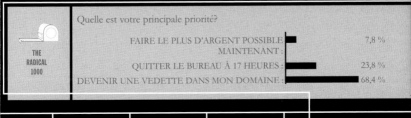

THE RADICAL 1000

Quelle est votre principale priorité?

FAIRE LE PLUS D'ARGENT POSSIBLE MAINTENANT : 7,8 %

QUITTER LE BUREAU À 17 HEURES : 23,8 %

DEVENIR UNE VEDETTE DANS MON DOMAINE : 68,4 %

Ère industrielle   Ère atomique   Ère nucléaire   Ère numérique   ÈRE DE L'INTENSITÉ

LAISSE TOMBER LA MANETTE ET VIENS TE BATTRE POUR VRAI.

Les victoires ne se remportent plus en suivant les règles, pas dans la salle du conseil ni sur le terrain de tennis. Aujourd'hui, la réussite s'acquiert dans la rue grâce à l'astuce et à l'instinct. Il faut retrousser ses manches, il faut trouver une solution pour se rendre à la réunion des ventes afin de présenter son travail, même si une tempête de neige a retardé tous les vols au départ de Montréal.

Voulez-vous pousser plus loin, travailler plus vite et penser avec plus d'intelligence, peu importe les obstacles?

C'est oui?

ALORS RELEVEZ-VOUS,
ESSUYEZ LE SANG SUR VOTRE MENTON
ET REPRENEZ LE COMBAT.

VÉRITÉ RADICALE *07*

DARWIN S'EST TROMPÉ.

En période d'incertitude et de confusion, tout le monde se concentre sur la survie. Mais les mieux adaptés ne se contentent pas de subsister, ils prospèrent.

Si vous réussissez dans les contextes les plus éprouvants, non seulement vous surmonterez ces périodes difficiles, mais vous réussirez grâce à elles.

Inspirez-vous d'un maître de la gestion de carrière du règne animal : la coquerelle. Cet insecte a un pas d'avance sur tout ce qui l'entoure. Il peut survivre une semaine sans sa tête, se nourrir pendant un mois de la colle enduite au dos d'un timbre et survivre à une explosion nucléaire. Alors vous, vous pouvez certainement passer une nuit blanche pour terminer votre projet.

TRAVAILLER,
C'EST DIFFICILE.

C'est comme ça. Dès qu'on admet ce fait, on peut arrêter de résister
et commencer à consacrer ses énergies à avancer. Le paradoxe, bien
entendu, c'est qu'une fois qu'on avance, travailler ne semble plus
aussi difficile.

**Tout le monde cherche des raccourcis, mais il n'y en a
pas. Le chemin qui mène à un emploi sensationnel n'est
jamais facile, et certains jours, ce n'est vraiment pas
drôle. Mais pour les gens de carrière, « sensationnel »
est la seule caractéristique qui mérite autant d'efforts.**

**INFO À
EMPORTER**

Êtes-vous courrielomane? Vérifiez-vous votre courrier électronique avant d'avoir bu votre première tasse de café de la journée?
Envoyez-vous des messages jusqu'à la toute dernière minute avant
le décollage, pendant que l'avion roule sur la piste? Alors vous
serez intéressé à lire mon ode à la messagerie mobile (« Ode to
Mobile Email »), mon chef-d'œuvre que vous trouverez sur le site
www.emailophile.com (site en anglais seulement) avec plein
d'autres trucs pour les maniaques du BlackBerry.

OUBLIEZ CE QUI EST ÉCRIT SUR VOTRE CARTE PROFESSIONNELLE :
VOUS ÊTES UN ENTREPRENEUR.

Dans un monde où les gens conservent leur emploi durant trois années et demie en moyenne, vous ne pouvez permettre à votre entreprise de vous indiquer la voie à suivre. (Et honnêtement, le souhaitez-vous?) Votre sentiment de sécurité doit provenir de l'intérieur. À titre de PDG de votre propre carrière, vous avez toujours le pouvoir déterminer les prochaines étapes.

Moi inc.

THE RADICAL 1000

Comment vous sentez-vous face à des changements importants?

STRESSÉ : 11,4 %

STIMULÉ : 88,6 %

ARRÊTEZ DE FABRIQUER DES CRAVACHES.

Le commerce des cravaches pour calèches était florissant il y a cent ans, mais un jour un visionnaire appelé Henry Ford inventa l'automobile et pratiquement du jour au lendemain, des milliers de manufacturiers, d'artisans et de vendeurs se sont retrouvés sans débouchés.

Alors réfléchissez : que vendez-vous? Votre produit, votre service ou votre invention risquent-ils de devenir obsolètes? Qu'en est-il de vous? Tout comme vous prévoyez remplacer votre ordinateur qui sera désuet d'ici quelques années (ou même quelques mois), vous devez vous attendre à ce que votre description de poste soit dépassée un jour. Et il n'y a rien de mal là-dedans, pourvu que vous préveniez l'enlisement de votre carrière. Comment faire? Demeurez aux aguets pour surveiller quelle direction prennent les événements. Faites-vous un point d'honneur d'acquérir de nouvelles compétences. Renouvelez-vous et réinventez votre entreprise continuellement. Réévaluez régulièrement votre domaine d'activité. Évoluez plus rapidement que votre entourage pour éviter de vous rendre compte un bon matin que vous fabriquez des cravaches à l'ère de l'automobile.

INFO À EMPORTER

Vous voulez troquer le modèle de réussite d'aujourd'hui pour celui de demain? Jetez un coup d'œil à **www.buggy-whip.com** (site en anglais seulement).

LA TRANSFORMATION OU LA MORT.

PARABOLE :

L'homme le plus gros au monde pesait plus de 360 kilos.

Les médecins lui ont dit qu'il devait perdre du poids.

Sa vie en dépendait, mais il ne l'a pas fait.

On l'a enterré dans une caisse de piano.

Fin

LA CHANCE, C'EST POUR LES POULES MOUILLÉES.

Il n'est pas nécessaire d'avoir une lampe magique pour trouver la réussite. Ni un fer à cheval ni une patte de lapin. Vous possédez déjà tout ce dont vous avez besoin. Vous arriverez à obtenir de bons résultats seulement si vous ouvrez de nouvelles perspectives dans votre milieu. Vous pouvez ou non avoir de la chance, mais agir dépend de vous à 100 %. (Cela dit, vous pouvez aussi vous croiser les doigts.)

C'EST MAINTENANT LE MOMENT IDÉAL POUR DONNER UN COUP D'ACCÉLÉRATEUR À VOTRE CARRIÈRE.

Vous avez raison, nous vivons une période imprévisible en affaires. Pas de doute là-dessus. L'incertitude règne. La situation économique a donné à beaucoup d'entre nous un avant-goût de notre propre mortalité professionnelle. Et même si nous sommes tous plus à l'aise encadrés par quelques règles, de plus en plus tombent chaque jour.

Dans ce climat, certaines caractéristiques des gens de carrière acquièrent une plus grande valeur : l'entrepreneuriat, la ténacité et l'ingéniosité pour faire l'impossible.

Il existe trois moyens pour augmenter facilement votre capital à long terme, votre valeur sur le marché et votre estime personnelle :

1) *Devenez un employé plus malin : trouvez un créneau inexploité dans votre secteur d'activités ou votre entreprise.*

2) *Tissez un réseau plus serré de gens qui sauront vous soutenir dans votre lieu de travail et à l'extérieur.*

3) *Attaquez-vous à des projets inconnus pour obtenir une visibilité et une reconnaissance précieuses.*

VOICI DE TRÈS, TRÈS BONNES NOUVELLES SI VOUS ÊTES UNE PERSONNE DE CARRIÈRE.

Les gens de carrière sont faits sur mesure pour le chaos qui règne dans le monde des affaires. Et toute entreprise moderne se bâtit jour après jour par des gens de carrière.

Ces personnes s'emparent de leur propre pouvoir. Elles comprennent tout ce qui devient possible lorsqu'elles en décident ainsi. Alors que tous les autres se vouent à trouver un raccourci en suivant le chemin habituel, vous pouvez vous concentrer sur la suite de votre vie.

Plutôt que de vous demander passivement comment vous adapter à ces perturbations, inventez des façons complètement nouvelles de travailler. Comment continuer à être productif lorsque quelque chose (le marché de l'emploi, vos compétences ou l'économie, par exemple) vous empêche d'avancer sur la voie traditionnelle?

Aujourd'hui, votre réussite doit provenir de vous. Et donc, elle vous appartient.

Votre emploi est une étape
du voyage, pas une soirée sur le sofa
avec un sac de croustilles.

~

APPRIVOISEZ VOTRE MILIEU DE TRAVAIL

ASPIREZ

À DEVENIR LA PERSONNE LA PLUS IDIOTE DU BUREAU.

Travailler avec des personnes intelligentes est le summum, le nec plus ultra. C'est le critère le plus important pour évaluer l'emploi que vous occupez ou que vous pourriez avoir.

Que faire si vous travaillez au milieu de clients myopes, de collègues apathiques ou de gestionnaires sans colonne vertébrale?

1) *Trouvez-vous des collaborateurs motivés, des personnes plus intelligentes que vous.*

2) *Lisez des articles et des ouvrages rédigés par des chefs de file de votre domaine pour élargir vos points de vue.*

3) *Rencontrez des gens de l'extérieur de votre bureau en suivant des cours et des ateliers, ou en faisant toute autre activité qui enrichira vos connaissances et vos compétences.*

4) *Fuyez avant de devenir un fainéant aigri, alourdi par votre capital captif*.*

---

* CAPITAL CAPTIF : Investissement de temps et d'efforts que l'on ne peut emporter avec soi en quittant un emploi. Par exemple, votre moyenne au bâton lorsque vous étiez membre de l'équipe de balle-molle de l'entreprise. Voir aussi *asservissement contractuel*.

LA POLITICAILLERIE S'IMMISCE QUAND LES EMPLOYÉS SONT INQUIETS.

C'est un cercle vicieux.

Vous perdez confiance en vous lorsqu'on vous empêche d'accomplir le meilleur travail que vous pouvez faire. Vous cherchez d'autres façons de vous démarquer. Peut-être vous éternisez-vous au bureau simplement pour vous faire remarquer ou vous complimentez votre patronne pour son horrible coupe de cheveux. Vous avez l'impression troublante que l'on évalue autre chose que votre rendement. Ou pire encore : on vous juge en fonction d'un facteur sur lequel vous n'exercez aucun contrôle. Ce cycle de politicaillerie vous distrait de ce qui compte vraiment (produire des résultats) pour mettre l'accent sur ce qui n'a aucune importance (votre esprit de répartie). Comment pouvez-vous travailler à votre maximum malgré votre insécurité gran-dissante et votre ulcère? (Vite, dites-lui aussi qu'elle a un beau tailleur!)

Pour quelle raison principale les cadres supérieurs quittent-ils leur emploi? À cause des politiques internes et externes qui exigent beaucoup trop d'énergie intellectuelle et émotive à gérer. Dans les entreprises intelligentes, les employés sont promus au mérite de leur rendement et ne se préoccupent pas du reste.

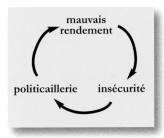

**ÈRE DE
L'INTENSITÉ**

LE FC : FREIN À LA CARRIÈRE

Certaines erreurs entraveront votre carrière au point où vous demanderez grâce. Comme l'a révélé notre sondage The Radical 1000, beaucoup de carrières ont été freinées par des disputes ou des retards. Les raisons comme « garder un mauvais emploi trop longtemps » et « laisser un mauvais patron me faire croire que je vaux moins que ma valeur réelle ».

Tirez des leçons de ces autres FC :

« Photocopier mon curriculum vitæ et l'oublier sur la machine juste avant que mon patron l'utilise. »

« Demander une augmentation de salaire en pleurant. »

« Commettre une erreur stupide en exécutant une tâche toute simple pour le président. »

« Me soûler avec des collègues et chanter des chansons de Madonna à tue-tête. »

« Critiquer mon patron sur des courriels qu'il a fini par lire. »

Et ma gaffe préférée : « Casser la vitre du photocopieur en m'asseyant dessus pour me photocopier le derrière. »

APRÈS AVOIR PRIS CONNAISSANCE DE CENTAINES DE FC,
UNE CHOSE EST SÛRE : MÉFIEZ-VOUS DU *PARTY* DE BUREAU…

**INFO À
EMPORTER**

Pour avouer votre FC le plus inquiétant ou pour en lire d'autres que nous n'avons pu reproduire ici, consultez le site **www.forehead-smack.com** (site en anglais seulement).

17

LE CHAOS LIBÈRE LES POSSIBILITÉS.

Lorsqu'une entreprise se réorganise, qu'un employé-clé la quitte ou que toute l'industrie subit des mutations, l'incertitude renverse les structures hiérarchiques habituelles. Les urgences exigent des solutions. Quelle alchimie* pouvez-vous pratiquer?

Plutôt que de joindre le chœur de ceux qui scrutent l'horizon en se plaignant et en se dérobant avec anxiété, posez-vous cette question : quel est votre avantage concurrentiel? Que pouvez-vous proposer que les autres ne peuvent ou ne veulent pas offrir? S'agit-il de votre temps, de vos idées, de votre refus tenace d'abandonner? Ce sont tous des acquis précieux. Jamais auparavant les gens n'ont-ils eu autant besoin de réponses, d'inspiration et d'audace.

Transformez les difficultés en occasions. Construisez des canots de sauvetage pendant que le Titanic coule.

* ALCHIMIE : Processus consistant à transformer en or une situation médiocre (comme une relation boiteuse ou un emploi minable).

LA VRAIE VIE

(Qui de mieux que Number Seventeen, la brillante agence de graphisme qui a conçu l'édition originale de ce livre, pour parler de la Vérité n° 17?)

Sur le plan créatif, le chaos peut s'avérer votre meilleur ami. Nous avons trouvé certaines de nos meilleures idées dans les circonstances les plus chaotiques : juste avant l'échéance, sous la menace, pour un client paniqué. Lorsque l'on n'a rien à perdre, on accède plus librement aux zones les plus intuitives de son cerveau. Le chaos distrait le policier qui gère la circulation de notre intellect, ce qui ne laisse que des possibilités à notre côté créatif.

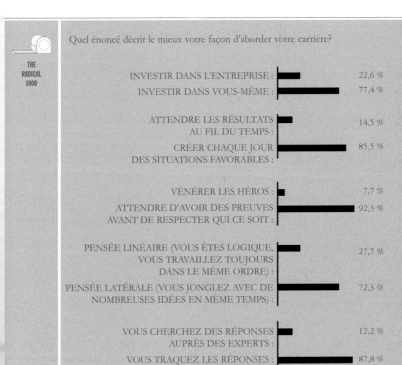

THE RADICAL 1000

Quel énoncé décrit le mieux votre façon d'aborder votre carrière?

INVESTIR DANS L'ENTREPRISE : 22,6 %
INVESTIR DANS VOUS-MÊME : 77,4 %

ATTENDRE LES RÉSULTATS AU FIL DU TEMPS : 14,5 %
CRÉER CHAQUE JOUR DES SITUATIONS FAVORABLES : 85,5 %

VÉNÉRER LES HÉROS : 7,7 %
ATTENDRE D'AVOIR DES PREUVES AVANT DE RESPECTER QUI CE SOIT : 92,3 %

PENSÉE LINÉAIRE (VOUS ÊTES LOGIQUE, VOUS TRAVAILLEZ TOUJOURS DANS LE MÊME ORDRE) : 27,7 %
PENSÉE LATÉRALE (VOUS JONGLEZ AVEC DE NOMBREUSES IDÉES EN MÊME TEMPS) : 72,3 %

VOUS CHERCHEZ DES RÉPONSES AUPRÈS DES EXPERTS : 12,2 %
VOUS TRAQUEZ LES RÉPONSES : 87,8 %

INVENTEZ L'OPTION C.

Vous êtes rarement limité à deux options lorsque vous devez prendre une décision, ce n'est pas seulement noir ou blanc. Si vous choisissez l'option A (par exemple, une augmentation de salaire), mais votre employeur préfère l'option B (plus de travail sans plus d'argent), vous pourriez vous croire dans une impasse. Toutefois, vous voulez voir évoluer votre carrière et à ce titre, vous avez la créativité et le cran voulus pour inventer l'option C. Dans ce cas, votre employeur pourrait vous confier plus de responsabilités en contrepartie de deux semaines de vacances de plus et d'une indemnité pour l'usage de votre automobile. On peut toujours laisser ou reprendre des avantages sur la table de négociation.

LA VRAIE VIE

CHANGER LE PROBLÈME

Au début de l'ère spatiale, un obstacle insurmontable s'est manifesté : personne n'arrivait à fabriquer un matériau qui résisterait à la chaleur dégagée lors de la phase de rentrée. Ce problème semblait insoluble jusqu'à ce que quelqu'un le voie autrement. Ils ont cessé de chercher un matériau qui ne fondrait pas pour consacrer leurs efforts à trouver un moyen de ramener les astronautes sur Terre en toute sécurité. La solution : une enveloppe conçue pour se désintégrer.

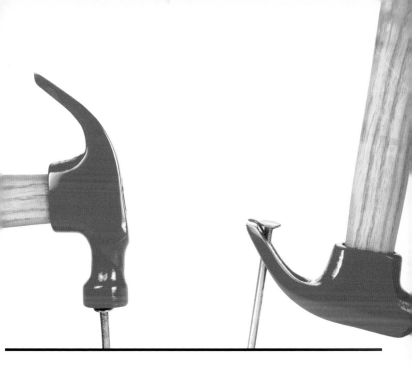

Si
vous
ne
pouvez
pas
changer
la solution,
changez
le
problème.

AVOIR UN EMPLOI MINABLE N'EST PAS VOTRE FAUTE, MAIS LE CONSERVER, ÇA OUI.

Cette vérité est difficile à admettre et c'est pourquoi j'y vais avec ménagement. Tant de gens se contentent de tenir le coup à leur travail. Mais je vais vous dire quelque chose : votre carrière vous appartient à vous, et à vous seul. Même si vous conservez un emploi que vous détestez pour pouvoir payer l'école privée à vos deux enfants, vous avez d'autres options. Un travail peut avoir la mainmise sur votre emploi du temps et votre chèque de paie, mais il ne peut pas régir votre avenir, à moins que vous ne le laissiez faire.

INFO À EMPORTER

Si votre emploi limite votre potentiel et votre bonheur, il est temps pour vous de le quitter. Mais comment partir en conservant votre intégrité et votre réputation? Apprenez comment en consultant le site **www.outta-here.com** (site en anglais seulement).

NE TRAVAILLEZ PAS POUR QUELQU'UN QUI NE VOUS INSPIRE PAS LE RESPECT.

Le problème à travailler avec des personnes idiotes n'est pas qu'on s'arrache les cheveux, qu'on grince des dents et qu'on se mord la langue. C'est qu'elles ne nous apprennent rien. À moins d'être un homme-orchestre, vous n'êtes qu'une infime portion de l'équipe. Pour obtenir des résultats exceptionnels, il faut que tous les employés, des stagiaires aux vice-présidents, se consacrent à cette vision.

Votre emploi est-il aussi extraordinaire que vous?

THE
RADICAL
1000

Que préférez-vous recevoir de votre employeur?

UN GROS SALAIRE : 11,5 %

DU RESPECT : 88,5 %

RESPECTEZ LE CYCLE KARMIQUE.

Vous souvenez-vous de cette règle d'or? Quoi que vous fassiez, cela vous reviendra un jour. Le monde des affaires peut être brutal et les responsables de cette situation s'autodétruisent presque toujours. Lorsqu'on attaque quelqu'un à son insu, qu'on lui pique son sandwich dans le frigo du bureau ou que l'on ment pour expliquer les retards aux échéanciers, on envoie de mauvaises ondes. Si l'intégrité, le mentorat, la reconnaissance et la courtoisie la plus élémentaire mènent votre vie, non seulement ils soutiennent votre carrière, ils soutiennent aussi chaque personne dont vous croisez la route.

Maintenant, joignez les mains et chantez « kumbaya » avec moi…

Voulez-vous vous consacrer
corps et âme à une carrière
qui mérite votre amour?
Quel genre d'avenir
votre carrière peut-elle
vous aider à bâtir?
Qu'est-ce qui vous empêche
de le bâtir?

~

PRENEZ POSSESSION DE VOTRE CARRIÈRE

POSSÉDEZ VOTRE CARRIÈRE OU C'EST ELLE QUI VOUS AURA.

On commence à posséder sa carrière lorsqu'on se met à bâtir un capital personnel. Cela confère un vrai pouvoir : celui de choisir comment, où, quand et avec qui on travaille. Le pouvoir de choisir ses objectifs, son cheminement, ce que l'on veut devenir et ce que l'on ne veut pas être. Posséder notre carrière nous permet de choisir notre vie.

THE RADICAL 1000

Quel élément exerce la plus grande influence sur votre réussite?

LA CHANCE :	▮	2,3 %
VOS COMPÉTENCES :	▮▮▮▮	14,9 %
VOTRE RÉPUTATION :	▮▮▮▮	16,4 %
VOS GESTES QUOTIDIENS :	▮▮▮▮▮▮▮	29,2 %
VOTRE ATTITUDE :	▮▮▮▮▮▮▮▮▮	37,1 %

VOTRE *JOB*, CE N'EST PAS

Les mots « emploi » et « carrière » voulaient dire la même chose autrefois, mais plus maintenant. Aujourd'hui, votre emploi englobe vos tâches, vos collègues et votre lieu de travail. Un emploi est un moyen d'arriver à ses fins, un véhicule pour se rendre là où on veut aller. Une carrière, par contre, est un long voyage. Vous occuperez probablement beaucoup d'emplois et exercerez peut-être plus d'une profession qui s'amalgameront dans une seule et unique carrière représentant votre cheminement professionnel holistique. Elle est la totalité de toutes vos idées, vos actions et votre vision qui vous sont uniques.

Peu importe ce que vous voulez (plus d'argent, plus de satisfaction au travail, plus de temps libre), n'oubliez pas que votre emploi n'est pas une fin en soi. Votre emploi est un outil, ni plus ni moins.

**Vous pouvez perdre votre emploi,
mais jamais votre carrière.**

UNE « CARRIÈRE ».

**MÉTHODE
RADICALE**

COMMENT FAIRE PLAISIR À SA FEMME *ET* À SA MAÎTRESSE
Comment pouvez-vous avantager à la fois votre carrière *et* votre emploi?
Que pouvez-vous faire aujourd'hui pour aider non seulement votre entreprise, mais aussi votre propre capital portatif? Vous pourriez par exemple
vous proposer pour collaborer à un projet emballant, en révisant les offres
de service ou en vous chargeant de la tarification, par exemple. Vous aurez
un accès plus facile aux meilleures personnes et aux meilleures idées. Vous
vous ferez des contacts, vous acquerrez des compétences, des connaissances
et une autre fonction à ajouter sur votre curriculum vitæ. Dans le meilleur
des cas, vous serez reconnu dans votre milieu comme une personne qui est
parvenue où elle est grâce au travail.

Voyez aussi la Vérité radicale nº 87 : Un profil d'emploi n'est pas un profil de soi.

VOUS ÊTES VOTRE CLIENT LE PLUS IMPORTANT.

Beaucoup de personnes comme vous et moi innovent et gèrent des projets en ayant une idée très imprécise de l'endroit où les mèneront leurs carrières. Nous pouvons passer plus de 60 heures chaque semaine à coordonner un mandat capital pour l'entreprise sans consacrer une seule minute à nos propres stratégies de carrière. Abordez votre carrière avec toute la concentration et la détermination que vous auriez pour votre projet d'affaires le plus prometteur.

Qui êtes-vous comme professionnel? Quelles valeurs incarnez-vous? Les autres ne peuvent pas le savoir si vous l'ignorez vous-même. Élaborez votre stratégie personnelle, puis utilisez-la pour orienter vos réflexions et vos actions.

LA VRAIE VIE

CHAQUE DÉTAIL COMPTE
Stonewall Jackson :
Il fut l'un des plus grands héros de guerre de l'histoire américaine. Les États confédérés le vénéraient, les belles du Sud l'adoraient, l'armée de l'Union le craignait, mais il fut tué accidentellement par les soldats sous ses ordres.

INTIMIDEZ LES BUREAUCRATES.

Il y a une expression dans le domaine de la technologie qui dit « Personne ne se fait jamais mettre à la porte pour avoir acheté un ordinateur IBM ». Peut-être bien, mais on n'impressionne personne non plus en achetant un IBM. L'idéologie d'entreprise convient à la plupart des employés, mais pas aux gens de carrière. Dans un univers qui n'est pas fait pour tout le monde, le choix évident et traditionnel s'avère rarement le plus avantageux. Les belles occasions se cachent dans les endroits les plus inattendus.

LA VRAIE VIE

INTIMIDER L'INDUSTRIE DE LA MUSIQUE

Shawn Fanning, un étudiant universitaire, a bouleversé à lui seul l'industrie de la musique qui représente 100 milliards de dollars américains. Son invention, un petit truc appelé « Napster », a profondément transformé la façon dont la musique s'achète et se vend.

LES CIRCONSTANCES NE PEUVENT PAS PARALYSER VOTRE CARRIÈRE AUTANT QUE LE DOUTE OU LA PASSIVITÉ.

Il est impossible d'exercer son pouvoir lorsque l'on se sent victime d'éléments hors de son contrôle. On peut facilement avoir l'impression que l'avenir est déterminé par l'économie, un patron, la politique ou même la chance. Devant de tels ennemis, il est naturel de vouloir lâcher prise. En vérité, les ennemis du succès les plus dangereux sont tapis en nous : l'apathie, l'incertitude, la complaisance. En renversant ces adversaires, vous laissez la voie libre à votre propre progrès.

Ne vous empêchez pas d'avancer.

INQUIÉTEZ-VOUS MOINS, FAITES PLUS.

Je le sais : vous pensez déjà au pire. Vous, une personne analytique, vous êtes habitué à réfléchir en considérant tous les angles possibles. Je comprends. Le problème, c'est qu'on peut s'épuiser et perdre beaucoup de temps en se concentrant sur ce qui pourrait mal tourner. La plupart de ces scénarios paranoïaques sont irréalistes de toute façon. Alors, vous feriez mieux de consacrer ces énergies à une tâche où elles seront efficaces. Comme agir.

Vous avez un nombre déterminé de pensées.
Choisissez-les judicieusement.

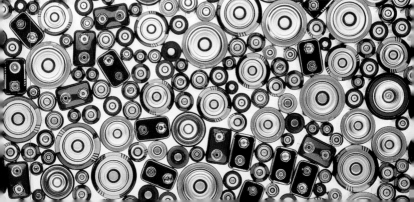

LA DÉCISION LA PLUS RISQUÉE, C'EST CELLE QU'ON NE PREND PAS.

En prenant des décisions par défaut, on abandonne notre droit d'exercer un choix. Ne pas décider, c'est décider aussi. Ne pas chercher activement à avoir plus d'ambition, c'est laisser les résultats aux mains de la chance. C'est une situation très fragile…

**CONSEIL
DE PRO**

PHIL KEOGHAN PARLE DU RISQUE

Phil Keoghan anime l'émission Amazing Race *et a écrit, en collaboration avec Warren Berger, l'ouvrage* No Opportunity Wasted: Creating a List for Life. *Alors, qui serait mieux placé pour parler de risque que cet homme qui travaille (pour vrai) avec des requins mangeurs d'hommes? Voici les observations de Phil :*

– Comme société, nous ne prenons plus de risques dans nos vies. Nous avons commencé à vivre dans la peur. Nous sommes tellement obsédés par les restrictions que nous avons commencé à craindre de vivre pleinement.

– Pour réussir, vous devez vous préparer à échouer. Sinon, vous jouez de prudence et devez vous contenter de protéger ce que vous avez.

– Comme n'importe quel muscle, le risque exige un certain entraînement. À quel point tenez-vous à obtenir ce que vous voulez si vous n'êtes pas prêt à travailler fort pour l'obtenir?

VOUS ALLEZ FINIR PAR AVOIR LA CARRIÈRE QUE VOUS MÉRITEZ.

Personne d'autre que vous n'en sera responsable.
Un point c'est tout.

APARTÉ SUR L'INTENSITÉ

L'ANALOGIE DE L'ARBRE
(Note : Cette analogie est dépassée, mais parfois la clarté est plus efficace que le style.) Imaginez votre carrière comme un tronc d'arbre. Les récompenses comme le salaire ou le respect en sont les fruits. Votre travail fertilise les racines et sans fertilisation, vous mangerez bientôt du Kraft Dinner pour souper. Au sens propre.

INFO À EMPORTER

Dans le sondage The Radical 1000, 96 % des répondants affirment être moins bien payés que ce qu'ils valent. Et vous? Consultez le site **www.ramen-noodles-again.com** (site en anglais seulement).

RÉCOMPENSES

CARRIÈRE

TRAVAIL ARDU

AGISSEZ

AU LIEU DE PARLER.

Agir est la seule façon de puiser de la force. Toutes vos bonnes idées ne mèneront à rien si elles ne prennent jamais vie, que ce soit organiser une réunion au sujet d'une stratégie-clientèle innovatrice, envoyer un courriel décrivant le formidable programme que vous avez élaboré pour la retraite des membres de la direction ou encore jurer pour la énième fois que vous allez cesser de manger des biscuits au chocolat en cachette pendant que vous suivez votre régime faible en glucides. Perdez moins de temps à parler de ce qui pourrait ou devrait être fait et consacrez plus d'énergie à réaliser vos projets.

Bon, assez parlé.

**CONSEIL
DE PRO**

KEVIN CARROLL PARLE DU JEU DANS LA VIE

Un petit garçon de six ans est abandonné par ses parents alcooliques. Il découvre le jeu, puis les sports, et s'enrôle dans l'armée de l'air. Il apprend six langues, devient agent pour le jeu en entreprise chez Nike et publie le livre Rules of the Red Rubber Ball. *Ça vous semble tiré par les cheveux, n'est-ce pas? Eh bien non. C'était l'histoire de Kevin.*

Ses conseils sur le jeu

Posez-vous les questions suivantes :

- Quel jeu vous obsédait lorsque vous étiez petit?
- Quel genre de risques aimiez-vous prendre, quel genre de problèmes vous stimulaient?
- Comment pourriez-vous insuffler plus de cet esprit ludique dans votre travail?
- Chaque expérience, qu'elle se conclue ou non par une victoire indiscutable, pave la voie à la prochaine aventure. Trouvez un sens à chacune afin d'engendrer la prochaine.
- Ne baissez jamais les bras dans des circonstances défavorables. Il y a toujours une autre voie à découvrir ou à créer.

Le génie qui n'agit pas
ne vaut rien.

~

CHAPITRE

4

REJETEZ LA MÉDIOCRITÉ

VOUS POUVEZ ÊTRE À L'AISE OU EXCEPTIONNEL, MAIS PAS LES DEUX.

Quelle vie vous attend à l'extérieur de votre zone de confort?
De meilleurs résultats? Une carrière plus épanouissante?
Plus de pouvoir? Un grand défi stimulant? Une fois que
vous l'aurez déterminé, vous devrez vous poser cette question :
Êtes vous prêt à quitter votre zone de bien-être pour l'obtenir?

S'il s'avère que 90 % de votre réussite dépend du seul fait de vous présenter au travail, l'autre 10 % est attribuable à vos efforts pour continuer à vous y rendre. On ne progresse pas dans sa zone de bien-être.

Profitez de l'expérience de nos amis les haltérophiles. Le muscle atteint son niveau maximal de développement près de son point d'épuisement total. Si vous vous sentez bien, vous n'avez pas terminé. On commence à progresser au moment où on veut arrêter.

Si vous voulez passer à la vitesse supérieure, attendez-vous à devenir un peu déraisonnable. Des résultats exceptionnels ne surviennent pas dans le cadre de paramètres standards.

Il faut parfois exagérer pour atteindre ses objectifs.

**MÉTHODE
RADICALE**

COMMENT VRAIMENT FAIRE AVANCER LES CHOSES

La prochaine fois que vous travaillez à un projet et souhaitez exploiter vos plus grandes qualités, tenez compte de ces trois niveaux d'attente :

— **Faire ce qui est demandé :** Qu'est-ce qui est *demandé*? Par exemple, faire en sorte que l'offre de service parvienne au client à temps. (La grande majorité des employés et des entreprises se limitent à cela : ils font ce que l'on attend d'eux, sans plus.)

— **Faire plus que ce qui est demandé :** Qu'est-ce qui est *souhaité*? Par exemple, inclure une analyse soignée de la façon dont votre stratégie améliorera les revenus de l'entreprise au cours des cinq prochaines années. (La plupart de vos concurrents se rendent jusqu'ici : ils en font un peu plus.)

— **Pousser plus loin :** Enfin, qu'y a-t-il au-delà des attentes? Ce pourrait être inclure des échantillons que vous avez créés, par exemple. (Croyez-moi, mon ami : c'est avec une attitude comme celle-là que vous allez vraiment vous démarquer.)

32

IMPOSSIBLE D'ÊTRE HEUREUX SANS PRENDRE SON ESSOR.

Du moins, il est impossible pour les gens de carrière d'être heureux sans cet élan[*]. Si vous trouvez coincé d'une façon ou d'une autre, vous serez soit frustré (dans le meilleur des cas) soit démoralisé (dans la pire des situations). Sans impulsion, vous cessez de croître et commencez à exister.

TRUC D'INITIÉ

LORSQUE L'ON PERD SON ÉLAN

Stefano Hatfield, rédacteur en chef principal du journal Metro, *sait décrire cette situation mieux que quiconque : « Le meilleur moment pour poser des gestes radicaux, c'est lorsque l'on n'y est pas forcé. Prenez des décisions lorsque vous dominez la situation. »*

Voici, selon lui, comment reconnaître que votre élan s'essouffle :

– Lorsque vous n'avez plus de défis et commencez à éprouver du ressentiment.

– Lorsque l'argent, les avantages de votre emploi et votre mode de vie prennent plus d'importance que votre évolution personnelle.

– Lorsque vous cessez de vous battre pour ce qui est bien pour vous contenter de ce qui est plus facile.

---

[*] Avertissement amical : L'élan, l'impulsion ou l'essor (*momentum,* en anglais) et le mouvement sont deux notions très différentes. Même si vous déchaînez la frénésie autour de vous, cela ne signifie pas que votre agitation s'avère utile. On peut parfois donner un essor à sa carrière en conservant son emploi tout en s'ouvrant à de nouvelles possibilités.

La formule suivante vous aidera à améliorer considérablement la direction et la vitesse de votre carrière.

L'IMPULSION = BUTS
+ ATTITUDE
+ COMPÉTENCES
+ ACTION
+ RÉSEAU

Cette formule illustre que votre carrière progresse dans la mesure où :

Vous déterminez ce que vous voulez.

Vous abordez chaque tâche en ayant cet objectif en tête.

Vous acquérez des connaissances sur la façon d'accomplir quelque chose.

Vous vous activez.

Vous vous entourez de personnes qui vous soutiennent.

INFO À EMPORTER

Êtes-vous prêt à prendre votre élan? Cet exercice en ligne vous aidera à propulser votre carrière à la vitesse de l'éclair : **www.self-induced-whiplash.com** (site en anglais seulement).

L'ÉTHIQUE
DU TRAVAIL
VAUT PLUS
QUE LE TALENT.

La virtuosité est si aguichante! Elle aspire voluptueusement une bouffée de sa cigarette et dit nonchalamment : « Oh, cette idée-là? Elle m'est venue sous la douche. »

Il y a aussi l'éthique du travail. Ah non, me direz-vous, pas la déontologie! Comme c'est lassant!

La virtuosité est séduisante, beaucoup plus que sa « sœur », l'éthique du travail, une maîtresse d'école à la poitrine plate et aux dents croches.

Mais voilà : la virtuosité est capricieuse. Parfois elle se montre, d'autres jours elle reste en robe de chambre jusqu'à midi. On ne peut même pas choisir la quantité de virtuosité que l'on reçoit à la naissance.

La réussite continue exige un niveau élevé d'engagement, de ténacité et d'optimisme[*]. J'ai toujours été une bûcheuse puisque même si je ne peux pas être la personne la plus talentueuse dans la pièce, je peux toujours être celle qui travaille le plus. Est-ce sexy? Pas une miette. Est-ce que ça fonctionne? Sans l'ombre d'un doute.

L'éthique du travail est la seule ressource qui donne des chances égales. Tout le monde peut travailler dur.

THE
RADICAL
1000

Qu'est-ce qui compte le plus pour réussir?

AVOIR DU TALENT : 8,8 %
TRAVAILLER DUR : 91,2 %

[*] Avertissement : Je ne dis pas qu'il vous faut travailler tout le temps au détriment du reste.
Il ne s'agit pas de vous faire exploiter ni de demeurer vissé à votre bureau jusqu'à 2 heures du matin. Il s'agit de donner ce que vous avez de meilleur, d'être à votre mieux.

LES APPLAUDISSEMENTS REPRÉSENTENT ENVIRON
0,003 % DU SUCCÈS.

Dans la vraie vie, les victoires ne s'annoncent pas par des trompettes, un tapis rouge, des foules en délire ni des défilés triomphants. Dans la vraie vie, les victoires se manifestent dans les plus petits détails, à n'importe quel moment du quotidien.

CONSEIL DE PRO

LIZ PHAIR, MUSICIENNE DE CARRIÈRE ET VEDETTE

Bien entendu, Liz est célèbre dans le monde entier pour son rock and roll déchaîné. Mais savez-vous qu'elle gère aussi sa carrière de main de maître? Voici ses conseils pour connaître un parcours professionnel fulgurant.

– N'ayez pas peur de tomber. Et lorsque cela se produit, posez-vous des questions. Bien sûr, vous vous sentirez mal, mais si vous comprenez exactement ce qui s'est produit, vous pourrez vous améliorer et devenir plus fort.

– Sachez ce que veut exactement votre entreprise, afin de pouvoir adapter constamment vos compétences et votre plan de match.

– Peu importe votre titre ou votre profession, vous êtes votre propre entreprise. Votre employeur est un partenaire dans votre carrière.

– Vous exercez beaucoup plus de pouvoir que vous ne le croyez. Ne le sacrifiez pas.

NOUS AVONS TOUS
LE POTENTIEL DE RÉUSSIR
QUELQUE CHOSE AU-DELÀ DE
NOS ATTENTES
LES PLUS FOLLES,
DANS LA MESURE
OÙ NOUS SOMMES PRÉPARÉS À
CE QUE CELA
SURVIENNE
À TOUT MOMENT
DE NOTRE VIE.

ÊTRE UNE STAR,
C'EST UN PRIX DE PARTICIPATION.

De nos jours, on s'attend à ce que vous excelliez au travail. Se contenter de répondre aux normes n'impressionne plus personne. La barre est plus haute que jamais. Nous avons été contraints de faire plus avec moins. Nous devons faire mieux, plus vite. Il y a moins d'emplois, mais plus de gens talentueux pour les occuper. À notre Ère de l'intensité, tout ce qui n'est pas extra-ordinaire est simplement ordinaire.

**PAROLES
DE GOUROU**

« Si j'avais su que je deviendrais pape un jour, j'aurais étudié davantage. »
PAPE JEAN PAUL II

MÉFIEZ-VOUS DE L'ORDINAIRE.

L'ordinaire vous traque au bureau et vous invite à rentrer chez vous. Il s'immisce dans votre esprit lorsque vos collègues se contentent de « ça ira comme ça ». Il s'attaque à votre réputation. Il contamine vos normes et empoisonne vos objectifs. L'ordinaire est votre pire ennemi. Exterminez-le tout de suite, vite, avant qu'il ne soit trop tard.

Empruntez la voie rapide.

Laissez-vous pousser par le vent portant.

Prenez un billet pour le vol de nuit.

Roulez sur la voie de gauche.

Mais ne vous contentez jamais de l'ordinaire.

MÉFIEZ-VOUS DU PLATEAU.

Dans beaucoup de situations, vous atteignez un point où vous commencez à vous installer, bien à l'aise. Au travail, on cesse de s'inquiéter de la prochaine étape lorsque l'on se sent confortable avec la routine du 9 à 5. Nos objectifs deviennent périmés lorsqu'ils n'évoluent plus. Mais puisque vous gérez votre carrière, vous avez toujours votre mot à dire. Réévaluez-les constamment en fonction des circonstances. Lorsque votre vie n'évolue plus, votre esprit meurt lentement. Si vous atteignez ce plateau, écoutez les signaux d'alarme qui résonnent dans votre tête et sortez de la pièce en courant.

Un corps en mouvement reste en mouvement. Un corps au repos est congédié.

TRUC D'INITIÉ

« DEVRAIS-JE RESTER OU M'EN ALLER? »

Vous avez un emploi très payant, mais qui vous oblige à travailler des heures de fou? Cela vaut peut-être la peine de le conserver le temps de rembourser vos dettes, pour ensuite trouver un autre emploi moins payant qui vous offre plus de souplesse.

Votre emploi vous permet de travailler seulement 35 heures par semaine, mais vous ennuie à mourir? C'est peut-être la situation idéale pour « réseauter » en sirotant un martini à l'apéro tous les soirs en vue de trouver un nouvel emploi.

VOUS POUVEZ SEULEMENT CONTRÔLER L'AMPLEUR DE VOS EFFORTS.

On ne peut pas contrôler ses clients, ses collègues, son patron, l'économie ni même le moment où l'inspiration va se pointer.

Ce dont vous êtes responsable à 100 %, c'est l'ardeur que vous déployez dans une tâche. À la fin de la journée, c'est tout ce qui compte parce c'est vraiment en votre pouvoir.

Prenez un autre café glacé et savourez cette *insensie**.

INDICE DE *CAFÉINATION*

La caféine pure est une poudre blanche qui entraîne une dépendance (ça vous rappelle quelque chose?). Elle stimule vos fonctions intellectuelles, votre vivacité d'esprit et même votre humeur.

Coca-Cola : 34 mg

Tasse d'espresso : 40 mg

Thé : 50 mg

Boisson énergétique : 80 mg

Excedrin : 130 mg

Café infusé : 200 mg

Ces données vous permettront de réserver votre consommation quotidienne supérieure à 400 mg pour les jours où vous devez vraiment abattre beaucoup de boulot. Sinon, vous développez une tolérance à la caféine qui minera ses effets stimulants sur votre organisme.

Source : *National Geographic,* janvier 2005

* INSENSIE : État d'euphorie nerveuse et frénétique causé par un excès de caféine, d'adrénaline et de stress.

39

COMPOSEZ VOTRE MANTRA.

Vous vous réveillez, vous vous retournez dans votre lit, puis vous baillez. Alors que vous ouvrez l'œil sur la journée qui commence, qu'est-ce qui vous incite à vous lever? Êtes-vous stimulé par les défis qui vous attendent ou amorti par la corvée des menus détails sur votre liste de tâches? Quel genre d'avenir s'offre à vous? Quel est votre but? La réponse se trouve dans votre mantra.

Vous vous demandez ce qu'est un mantra? Excellente question. Comme il se doit, vous connaissez bien les énoncés de mission. La plupart, rédigés dans un jargon administratif, décrivent vaguement et de façon insipide les objectifs des actionnaires sur une diapo PowerPoint. (« Nous mettons l'accent sur la Qualité! ») En général, un énoncé de mission vise à atteindre strictement des objectifs rationnels. Un énoncé de mission vit dans votre tête; un mantra vit dans votre tête et dans votre âme.

VOICI UNE VIEILLE HISTOIRE.

Trois briqueteurs travaillent ensemble. Quelqu'un leur pose cette question : « Qu'est-ce que vous faites? » Le premier répond : « Je pose des briques. » Le deuxième dit : « Je construis un mur bien droit. » Le troisième, lui, explique : « Je crée une cathédrale pour Dieu. »

Le mur droit : énoncé de mission
La cathédrale pour Dieu : mantra.

Arrêtez-vous quelques minutes pour réfléchir à votre objectif de vie. Quelles sont vos intentions dans l'ensemble? Que voulez-vous faire de votre seule et unique vie?

LA VRAIE VIE

Lorsque j'ai entrepris la rédaction de ce livre, je me suis donné un énoncé de mission : en vendre beaucoup d'exemplaires. Toutefois, dans mon cas, « vendre des livres » ne m'inspirait pas plus que « poser des briques ». J'ai donc pris un peu de recul, reformulé ma pensée et me suis rendu compte que vendre des livres n'était pas mon objectif fondamental. Mon véritable but – mon mantra – était d'aider mes lecteurs à se trouver une carrière qu'ils méritaient d'aimer. C'est cette mission qui me donne envie de me lever chaque matin. Et je me dis que si j'y arrive, le reste s'arrangera tout seul.

INFO À EMPORTER

Quel est votre mantra? En avez-vous un? Il devrait définir l'objectif qui vous inspire jour après jour au moyen de paroles qui vous interpellent. Créons-en un dès maintenant.

Consultez le site **www.mantra-statement.com** (site en anglais seulement).

SOYEZ NERVEUX.

Si vos objectifs vous semblent possibles à atteindre, ils ne sont pas assez élevés. Mais si vous commencez à sentir de petites crampes au ventre et avez les mains moites, vous y êtes presque arrivé. Vous n'avez pas à attendre que toutes les pièces soient parfaitement disposées. Ce n'est pas grave de vous sentir nerveux en pensant à ce que vous faites; cela n'indique pas que vos objectifs soient mauvais. En fait, c'est plutôt le contraire*.

Prenez votre courage à deux mains et foncez. Jouez comme si vous n'aviez pas peur de perdre.

* Grosse mise en garde : « Nerveux » ne signifie pas « irresponsable ». Ne m'appelez pas après avoir fondé la société Trop-beau-pour-être-vrai inc. pour vous plaindre que vous ne trouvez pas de clients!

SI VOUS ÊTES MALHEUREUX, CONSULTEZ LE BULLETIN MÉTÉO.

Nous, les gens de carrière, nous assumons la responsabilité de nos gestes. Toutefois, si vous vous sentez vraiment découragé depuis quelque temps, regardez autour de vous. Est-ce que les gens de votre entourage ont une faible estime d'eux-mêmes? Vous faites probablement les choses de la bonne façon, et peut-être même mieux que vous ne le croyez étant donné la situation. Ce n'est rien de personnel. Lorsque le temps changera, votre façon de voir les choses s'améliorera probablement aussi.

42

LA MOITIÉ DES PROFESSIONNELS SE SITUENT SOUS LA MOYENNE.

C'est une courbe en forme de cloche. Même en vous améliorant d'un maigre 10 %, vos notes peuvent passer de B+ à A+. Les fractions les plus infimes séparent ceux qui réussissent de la masse. Et les bûcheurs ne se plaignent pas de manger de la pizza refroidie. Cela vous intimide? Ne vous inquiétez pas. Voici une pensée réjouissante : même les détails les plus banals (comme la ponctualité, des messages de remerciement ou le suivi de vos appels) peuvent vous distinguer des autres.

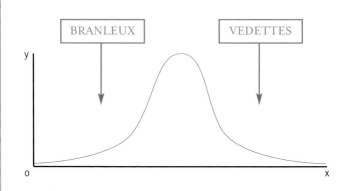

BRANLEUX   VEDETTES

APARTÉ INTÉRESSANT :
Pas moins de 94 % des 1 000 répondants
de la génération X ont évalué leur rendement
au travail dans le 25 % supérieur
(drôle de coïncidence).

BARRES GRANOLA OU PETITS GÂTEAUX :
L'HEURE DU LUNCH À L'ÈRE DE L'INTENSITÉ

**ÈRE DE
L'INTENSITÉ**

Parfois, vous devez vous asseoir et pondre quelque chose et n'avez ni le temps ni l'argent pour vous faire livrer un repas. Comment un distribuvore peut-il continuer à travailler en se nourrissant de croustilles et d'adrénaline?*

– Choisissez toujours un aliment contenant des protéines. Dans les distributri-ces, vous pourrez trouver par exemple des craquelins et du beurre d'arachides, du fromage ou des noix.

– Mélangez salé et sucré. Ma gâterie préférée : jetez le contenu d'un paquet de M&M dans un sac de maïs soufflé chaud et agitez-le jusqu'à ce que le centre des bonbons fonde. Un délice!

– Si vous achetez des boissons caféinées, maintenez l'effet stimulant sans le faire exploser avec du sucre.

* DISTRIBUVORE : Employé qui se nourrit presque exclusivement de croustilles, de friandises et d'autres aliments vides vendus dans les machines distributrices de son entreprise.

43

LES BLESSURES GUÉRISSENT, LES CICATRICES S'ESTOMPENT, MAIS LA GLOIRE DURE TOUJOURS.

Pour passer à la vitesse supérieure, il faut être un peu déraisonnable. Des résultats exceptionnels ne s'obtiennent pas dans le cadre des paramètres habituels. Pour atteindre le sommet dans votre domaine d'activité, vous devez déployer des efforts proportionnels. Les gens de carrière ont les pleins pouvoirs (je n'aime pas cette expression, mais c'est vrai) de prendre leurs propres décisions sur leur avenir. Être déraisonnable fait peur et c'est normal. C'est seulement en surmontant cette crainte que vous pourrez vous accomplir. La tête du classement vous attend. Vous n'avez qu'à la mériter.

CONSEIL DE PRO

TOM BERNTHAL EXPLIQUE COMMENT DEVENIR UN CHERCHEUR D'EMPLOI AGUERRI

Tom est l'une de ces personnes si douées que c'en est exaspérant. Il a travaillé à la Maison Blanche et à NBC News, a remporté deux prix Emmy puis a fondé Kelton Research à l'âge respectable de 27 ans (énervant, je vous l'avais bien dit). Voici ses conseils pour une recherche d'emploi proactive :

- En période tranquille, mettez en pratique cette technique de surf : préparez-vous à vous lancer sur la vague en vous mettant en position de façon à être le plus rapide lorsque l'activité reprendra.
- Lorsque les entreprises réduisent leurs activités et que les employés abattent plus de travail, les meilleurs employés sont promus plus rapidement. Une réduction de personnel crée plus d'espace libre au sein d'une entreprise.
- N'oubliez pas que les employeurs détestent chercher des employés. Cette opération est épuisante, coûte cher et prend du temps. Essayez donc de rencontrer et d'impressionner un maximum d'employeurs potentiels. Si grâce à vous ils évitent d'avoir à se lancer dans une recherche d'employés, vous y gagnerez tous les deux.

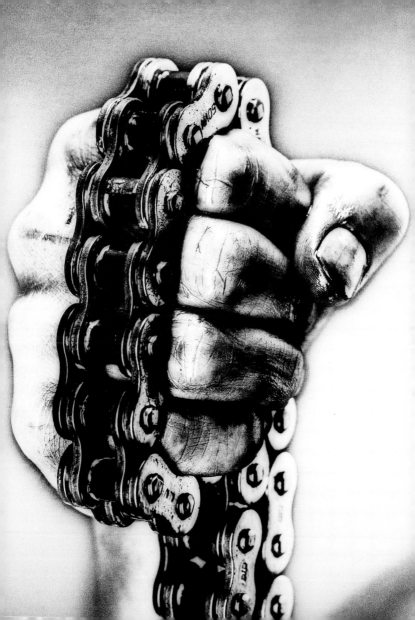

Avoir du pouvoir,
c'est pouvoir refuser.

~

CONSTITUEZ-VOUS UN CAPITAL PORTATIF

44

AUJOURD'HUI, LE CAPITAL PORTATIF EST LA SEULE FORME DE SÉCURITÉ D'EMPLOI.

Dans n'importe quel emploi, vous produisez deux types de capital : le capital portatif et le capital captif.

Le capital portatif, c'est la réputation que vous méritez, les personnes que vous rencontrez, les compétences que vous acquérez, vos réalisations.

Le capital captif, c'est votre moyenne au bâton dans l'équipe de balle-molle de l'entreprise, le temps que vous perdez à débloquer l'imprimante, les beignes que vous apportez pour tout le monde au bureau.

Voici la différence : le capital portatif vous suivra à votre prochain emploi, alors que le capital captif reste derrière vous.

INFO À EMPORTER

Êtes-vous prêt à vous constituer un capital portatif?
Visitez le site **www.portable-equity.com** (site en anglais seulement).

Je ne vous empêche pas de vous distraire avec vos collègues, je dis seulement que lorsque vous êtes prêt à quitter votre emploi, le capital portatif est tout ce qui compte. Concentrez-vous autant sur votre destination que sur ce que vous faites.

La vraie question est celle-ci : lorsque vous quitterez votre emploi, qu'est-ce qui pourra témoigner de votre passage?

En investissant dans vous, vous gagnerez plus d'argent et de prestige. Mais plus important encore, vous maîtriserez mieux l'évolution de votre carrière et acquerrez plus d'options pour votre avenir. Le capital portatif vaut de l'or, aux sens propre et figuré. En définitive, il vaut plus que l'argent ou la renommée, il vous permet de faire ce que vous aimez, sans parler du plaisir d'avoir des douzaines de chasseurs de têtes à vos trousses qui salivent en lisant votre C.V.

OPTIONS = POUVOIR.

Les choix se traduisent par plus de pouvoir dans votre carrière et dans votre vie. En voici un exemple : Madame A et Madame B travaillent pour la même entreprise. Madame A a amassé un capital portatif impressionnant et est devenue une vedette dans son milieu de travail : elle a participé à tous les projets intéressants, elle s'est forgé une réputation enviable et s'est taillé un créneau unique dans son domaine. Elle peut donc choisir où aller travailler et avec qui, combien elle devrait gagner et quels genres de projets ou de clients elle accepte.

Pour sa part, Madame B n'a accumulé aucun capital portatif. Au cours des dernières années, elle s'est contentée de pointer*, elle a répondu aux objectifs sans les surpasser. Ses options sont donc beaucoup plus limitées.

Le capital portatif de Madame A lui donne l'option de quitter une situation qui ne la satisfait pas, le pouvoir de choisir ce qu'elle veut être. Voilà le vrai pouvoir.

---

* SE POINTER POUR POINTER : Fait de se présenter au travail sans but ni motivation, pour tuer le temps.

AVEZ-VOUS LE POUVOIR
DE VOUS EN ALLER?

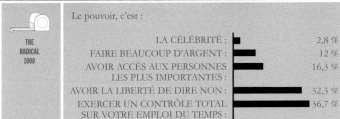

Le pouvoir, c'est :

THE
RADICAL
1000

LA CÉLÉBRITÉ :	2,8 %
FAIRE BEAUCOUP D'ARGENT :	12 %
AVOIR ACCÈS AUX PERSONNES LES PLUS IMPORTANTES :	16,3 %
AVOIR LA LIBERTÉ DE DIRE NON :	32,3 %
EXERCER UN CONTRÔLE TOTAL SUR VOTRE EMPLOI DU TEMPS :	36,7 %

46

L'ARGENT VIENT APRÈS LE BON TRAVAIL, PAS L'INVERSE.

Une expression américaine dit : « Si vous acceptez un emploi pour l'argent, vous paierez toujours pour. » À la longue, l'objectif n'est pas de gagner plus d'argent, mais de toujours faire un travail qui vous satisfait et vous rend fier. C'est en adoptant cette attitude que vous pourrez reconquérir votre carrière.

THE
RADICAL
1000

Nous avons remarqué régulièrement lors de notre étude que ce que souhaitent vraiment les gens est un travail qui leur donne des défis, un supérieur qui les soutient, des collègues qui les respectent et l'assurance de pouvoir évoluer.

Que choisiriez-vous?

UN EMPLOI QUE JE DÉTESTE, MAIS QUI M'ASSURE UN REVENU TROIS FOIS SUPÉRIEUR À MON SALAIRE ACTUEL :	13 %
UN EMPLOI QUE J'ADORE, MAIS QUI M'ASSURE UN SALAIRE MOITIÉ MOINDRE :	87 %

Comment imaginez-vous l'enfer professionnel?

DE LONGUES HEURES DE TRAVAIL :	3,8 %
UN MAUVAIS SALAIRE :	4,7 %
ÊTRE SUPERVISÉ DE TROP PRÈS :	15,6 %
LE MANQUE DE RESPECT DU PATRON ET DES COLLÈGUES :	75,9 %

« QUI FRAPPE À MA PORTE? UNE OCCASION UNIQUE OU
UN CAUCHEMAR? »

*En répondant à ces questions, vous saurez évaluer une offre d'emploi en toute connais-
sance de cause avant de commencer à vider votre bureau.*

–   Est-ce que vous seriez prêt à vendre père et mère pour obtenir cet
    emploi? Est-ce une entreprise de premier plan qui a des projets vision-
    naires et des employés brillants? Est-ce qu'on vous offre plus de
    contrôle et de possibilités?

–   Si l'emploi ne paie pas bien, est-il gratifiant d'une autre façon? C'est
    une échelle mobile : moins vous faites d'argent, plus il doit vous ouvrir
    de perspectives pour compenser.

–   Est-ce que vous offrez vos services pour une bouchée de pain? Faites-
    vous un investissement ou la charité? Votre futur employeur vous fait-il
    une offre équitable, ou s'agit-il d'un radin qui essaie de vous exploiter?

47

RÉSULTATS + RÉPUTATION + RÉSEAU

Dans la plupart des emplois, le revenu provient de trois sources : le travail que vous faites, les personnes que vous connaissez et la marque que vous créez pour vous-même. Heureusement, vous pouvez maîtriser ces trois éléments. Stimulez ces trois facteurs et les employeurs feront la file pour vous séduire.

Bien entendu, si la somme de votre rendement, de votre réputation et de votre valeur marchande est inférieure à votre salaire, vous vous trouvez en situation vulnérable. À la folle époque des « point com », on attribuait libéralement le titre de vice-président aux nouveaux diplômés pour les attirer. Après la chute de cette industrie, lorsque ces vp se sont retrouvés sur le marché du travail, devinez ce qui s'est produit? Ils n'étaient pas vraiment des vice-présidents. Ces titres ronflants n'étaient que des ornements superficiels. L'économie était faussée. Ces pseudo chefs de file n'avaient pas les états de service démontrant qu'ils pouvaient accomplir la tâche, ni les relations d'affaire pour trouver de bonnes occasions, ni les références pour prouver le tout.

Inversement, vous pourriez avoir un emploi peu payant entièrement dépourvu de prestige, de bonis ou d'avantages, mais qui augmente votre valeur marchande de façon phénoménale. Votre valeur marchande et votre rémunération actuelle sont deux choses différentes. Le cas extrême : toutes ces personnes qui souhaitent travailler bénévolement pour Donald Trump parce qu'elles obtiendraient ce prestige, ces bonis et ces avantages.

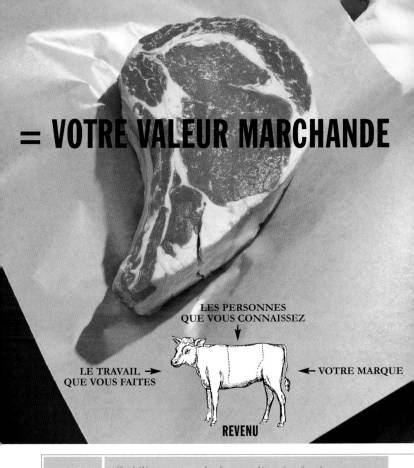

= VOTRE VALEUR MARCHANDE

LES PERSONNES
QUE VOUS CONNAISSEZ

LE TRAVAIL →
QUE VOUS FAITES

← VOTRE MARQUE

REVENU

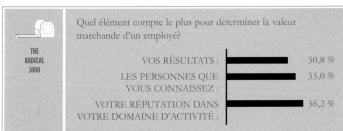

THE
RADICAL
1000

Quel élément compte le plus pour déterminer la valeur marchande d'un employé?

VOS RÉSULTATS :	30,8 %
LES PERSONNES QUE VOUS CONNAISSEZ :	33,0 %
VOTRE RÉPUTATION DANS VOTRE DOMAINE D'ACTIVITÉ :	36,2 %

48

LES PERSPECTIVES D'AVENIR SONT PLUS PRÉCIEUSES QUE L'ARGENT.

Dans plusieurs secteurs d'activité, on ne peut pas gagner un gros salaire ET accroître son capital portatif. Un emploi peut vous permettre de côtoyer des collègues brillants et d'inscrire le nom d'une entreprise de grande renommée sur votre curriculum vitæ. Il manque un petit détail : l'argent. Plutôt que de vous compenser avec de l'argent, ces emplois vous rémunèrent sous une autre forme : des perspectives d'avenir.

Pour cette raison, il faudra peut-être accepter une baisse de salaire avant de le voir augmenter. Dur à avaler, n'est-ce pas? C'est plus facile à dire qu'à faire[*]. Voyez-le comme un investissement stratégique dans votre carrière, plutôt qu'une perte. (Dans les limites du raisonnable, bien entendu. La banque aime bien recevoir vos mensualités pour la carte de crédit.)

Vous pouvez améliorer votre travail, votre revenu et vous-même de nombreuses façons, et je vous encourage à sacrifier aussi peu que nécessaire.

---

[*] Je parle en connaissance de cause. J'ai déjà accepté une diminution de salaire de 50 % en échange d'un capital portatif impressionnant.

De quoi
se nourrit
votre carrière?

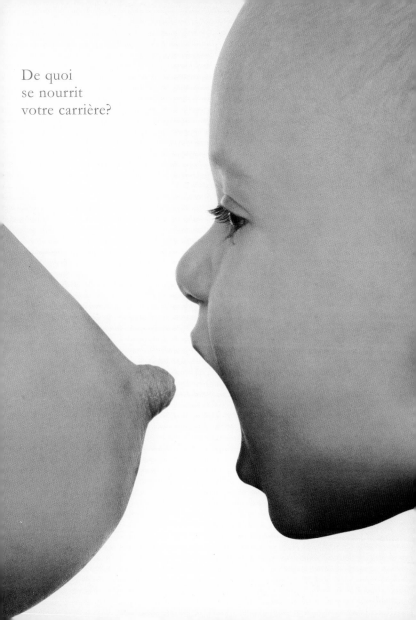

VOUS ÊTES VOTRE MEILLEURE CAISSE DE RETRAITE.

Vous êtes l'investissement le plus rentable que vous pouvez faire dans votre propre avenir. Des sacrifices relativement mineurs pourront vous rapporter des dividendes élevés à l'avenir.

**CONSEIL
DE PRO**

CATHY GRIFFIN PARLE DE LA VALEUR MARCHANDE

À titre de consultante et de recruteuse de cadres de premier plan, Cathy fréquente certains des dirigeants d'entreprises les plus recherchés. Voici son conseil pour gérer proactivement votre propre valeur marchande.

– Ne tenez pas pour acquis que votre entreprise tracera votre parcours professionnel pour vous.

– Réunissez votre propre « groupe conseil », des personnes qui peuvent vous donner une évaluation continue et honnête de votre situation et de vous-même.

– Réévaluez continuellement votre situation dans le contexte actuel. Ce qui vous a réussi il y a cinq ans ne fonctionnerait pas nécessairement maintenant. Vous avez changé, et le marché aussi.

– Entretenez votre réseau de contacts : occupez-vous en, enrichissez-le, réévaluez-le. Ne laissez pas les cartes professionnelles dormir dans votre Rolodex.

50

CONCENTREZ-VOUS SUR LES OBJECTIFS À LONG TERME PLUTÔT QUE SUR LES RÉSULTATS À COURT TERME.

Vous souvenez-vous que les stages les plus recherchés par les étudiants universitaires étaient habituellement les moins bien payés et ceux qui exigeaient les plus longues heures de travail? Mais ces occasions représentaient les tremplins les plus efficaces pour atteindre les étapes suivantes. Cette stratégie est toujours valable. Utilisez-la, concentrez-vous sur la prochaine étape, la suivante, puis l'autre.

Si une entreprise peu recommandable vous offre un salaire supérieur de 25 %, mais la moitié moins de capital portatif, vous augmenterez votre revenu immédiat par quelques milliers de dollars, mais vous amenuiserez vos chances de prendre votre retraite plus jeune.

PAROLES DE GOUROU

« Il est encore trop tôt pour le dire. »
(LE DIRIGEANT CHINOIS CHOU EN-LAI LORSQU'ON LUI A DEMANDÉ EN 1972 CE QU'IL PENSAIT DE LA RÉVOLUTION FRANÇAISE SURVENUE EN 1789)

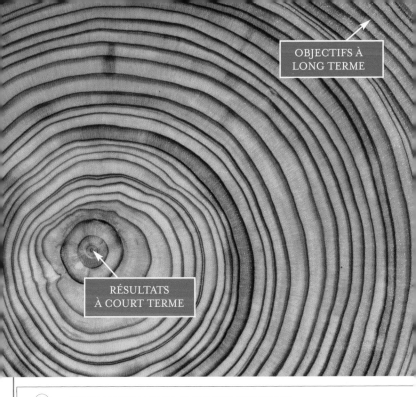

OBJECTIFS À LONG TERME

RÉSULTATS À COURT TERME

CONSEIL DE PRO

ANTHONY VON MANDL PARLE DU LONG TERME

Anthony était un entrepreneur si dévoué qu'il s'est résigné à louer un appartement dans un sous-sol pour arriver à payer les salaires de ses employés. Aujourd'hui, son produit, Mike's Hard Lemonade, se vend mieux que les produits de toutes les brasseries des États-Unis et a créé une nouvelle catégorie de boisson. Voici ses conseils pour assurer une croissance à long terme.

- Pour que la croissance dure, il faut faire des sacrifices en ralentissant l'expansion, en refusant des offres ou en évitant, par exemple, de s'associer à des personnes qui ne partagent pas vos valeurs fondamentales.
- Ne cherchez pas la croissance pour la croissance. N'estimez pas la valeur de l'action au-delà de l'expérience de votre marque.
- Il y aura des périodes où vous aurez l'impression de vous enliser. Vous pourrez vous tirer de cette situation grâce à votre vision à long terme et au sentiment d'appartenance partagé par vos employés. Vous devez rechercher davantage que les gains financiers.

L'INDÉCISION GÉNÈRE L'ANXIÉTÉ.

Vous savez lorsque vous êtes en vacances dans une ville étrangère, debout au coin d'une rue, et que vous ne savez pas exactement où aller? Soudainement, vous vous mettez à donner de petits coups de coude à vos compagnons de voyage. Le doute vous met mal à l'aise. Ma famille appelle cela l'« indécision touristique »*. Vous êtes irrité parce que personne ne sait quelle direction prendre.

C'est la même chose en affaires. Si vous êtes un dirigeant dans votre entreprise, soyez conscient que l'indécision génère du stress au sein du personnel. Lorsque les gens ignorent la prochaine étape, ils se sentent bloqués, puis anxieux et ensuite négatifs. Prenez une décision, foncez.

Voyez aussi la Vérité n° 32 : Impossible d'être heureux sans prendre son essor.

---

* INDÉCISION TOURISTIQUE : Anxiété causée par la sensation de désorientation ou l'absence d'instructions claires.

C'EST BIEN D'ÊTRE IMPORTANT, MAIS PLUS IMPORTANT D'ÊTRE GENTIL.

Ce quasi-reproche trône dans un cadre sur le guéridon de l'hôtesse d'un restaurant huppé de Beverly Hills. N'est-ce pas formidable? En d'autres mots, félicitations d'être quelqu'un d'aussi important, mais veuillez attendre votre tour.

Les conseils les plus élémentaires de votre mère sont toujours de mise. Dites « s'il vous plaît », ne criez pas, écoutez les autres et remerciez les gens par écrit. Souriez et témoignez votre affection dans les limites permises par les politiques contre le harcèlement sexuel.

Voyez aussi la Vérité n° 21 : Respectez le cycle karmique.

INFO À EMPORTER

Vous avez besoin d'un peu d'aide avec les règles de bienséance modernes en affaires?
Visitez le site **www.please-and-thank-you.com**
(site en anglais seulement). Merci.

NE VOUS CONCENTREZ PAS SUR VOTRE TRAVAIL AU DÉTRIMENT DE VOTRE CARRIÈRE.

Ne consacrez pas à votre travail tant de votre énergie intellectuelle et émotionnelle qu'il ne vous en reste plus pour votre carrière. Il est facile de porter trop d'attention aux petits détails de vos tâches quotidiennes au point de perdre de vue vos projets à long terme. Mais lorsque vous passez vos journées à régler des urgences (« Je dois absolument terminer la présentation PowerPoint »), vous risquez de négliger votre vision à long terme (« Je veux trouver un emploi où je n'aurai plus à faire de présentations PowerPoint »). Il est difficile de demeurer fidèle à vos objectifs. Puis vous vous réveillez quelques années plus tard sans emploi, sans capital et avec une valeur marchande moindre que celle que vous aviez au début de votre carrière. Au milieu du matraquage quotidien, n'oubliez pas où vous vous dirigez ni à quoi tout cela rime.

Attention : Ne soyez pas un gigolo de la *job**, ne passez pas d'un emploi à l'autre. Ceci dit, lorsque vous soutenez votre entreprise, vous méritez son soutien en retour. Ce n'est que justice dans la situation économique actuelle, alors que l'on ne jouit pas de la sécurité d'emploi ni d'augmentations de salaire annuelles.

---

* GIGOLO DE LA *JOB* : Putain du travail. Personne qui passe d'un emploi à l'autre de manière immorale, sans se préoccuper de son entreprise ni de son avenir.

LES MENOTTES DORÉES SE TRANSFORMENT EN BOULET AUX PIEDS.

Il va sans dire qu'être trop payé semble alléchant. Qui n'aimerait pas un zéro de plus au bout de son salaire? Mais la réalité, c'est que si vous ne générez pas la valeur qui justifie ce salaire, vous vous retrouvez dans une position vulnérable. Lorsqu'un employeur est non seulement votre patron, mais votre seule source de revenu possible, vous commencez à éprouver du ressentiment. Vous savez tous deux que vous n'avez aucun pouvoir. Vous êtes en situation d'asservissement contractuel*.

Lorsque vous avez accumulé suffisamment de capital portatif pour quitter un emploi sans avenir, vous ne vous sentez pas désespéré. Vous êtes sur un pied d'égalité. Vous restez parce que vous l'avez décidé, pas parce que vous y êtes coincé sans autre option. C'est beaucoup mieux!

* ASSERVISSEMENT CONTRACTUEL :
Fait de se sentir piégé dans un emploi médiocre parce que l'on n'a pas le capital portatif voulu pour quitter en position de force.

NE TOLÉREZ JAMAIS QUE LE MONTANT DE VOTRE HYPOTHÈQUE EXCÈDE LA QUALITÉ DE VOTRE TRAVAIL.

C'est un manque de vision dangereux de prendre des décisions sur sa carrière en fonction de son train de vie. Éventuellement, on peut se retrouver emprisonné sans option dans un emploi dont on ne voudra peut-être plus.

Un cul-de-sac ne mène nulle part.

LA VRAIE VIE

HORREUR!
Francis Ford Coppola a hypothéqué sa maison pour finir le tournage de son film *Apocalypse Now*. (Qui aurait dit qu'il était un homme de carrière?)

APARTÉ SUR L'INTENSITÉ

VOTRE EMPLOI NE VAUT RIEN : LE FACTEUR « BONBON »
Comparez ce que votre emploi vous coûte à ce qu'il vous procure. Quel est votre rapport coût-bénéfice? Efforts-réussites? Frustrations-accomplissements? Déceptions-plaisirs?

Pour être heureux au travail, le positif doit l'emporter sur le négatif. Un emploi peut comporter beaucoup d'éléments négatifs (comme des échéanciers serrés ou un salaire moindre), mais demeurer un bon emploi s'il rapporte beaucoup de bonbons (la reconnaissance et des perspectives d'avenir).

Pour moi, les bonbons sont des impulsions, une courbe d'apprentissage continue, des occasions attrayantes, des clients futés, de l'autonomie, du renforcement positif et du temps avec ma famille. Qu'est-ce qui est non négociable pour assurer votre bonheur au travail? Si vous n'obtenez pas ces choses, pouvez-vous les créer? Pouvez-vous les obtenir hors du contexte de travail? Que refusez-vous absolument d'accepter? Un environnement irrespectueux? Un patron qui vous suit à la trace? Entendre du Muzak à la radio de votre voisin de bureau à cœur de jour?

Pour résumer : un emploi de rêve ressemble plutôt à un cauchemar si vous devez avaler une poignée de Prozac pour l'endurer.

Ce chapitre vous est destiné,
à vous grands chefs et grosses
gommes de tout acabit.

~

DIRIGEZ DE L'INTÉRIEUR

SOYEZ LÀ OÙ VOUS VOULEZ VOIR LES AUTRES SE DIRIGER.

Quelle est votre vision pour vos employés et votre entreprise?
Incarnez-vous cette vision?

On appelle ça « diriger » parce que cela se fait de l'avant.

VOUS N'AVEZ PAS FINI DE PAYER VOTRE DÛ.

Et moi non plus. Nous n'en aurons jamais fini. La médiocrité est tenace : dès que nous avons fini de la combattre, nous devenons l'un de ces rôdeurs qui se réveillent chaque matin en craignant d'être congédiés parce qu'un jeune plus intelligent et moins exigeant pour son salaire vient de poster son curriculum vitæ.

Ici, l'objectif ne consiste pas à aller plus vite dans cette course acharnée. Il s'agit de prendre du recul un jour et d'observer votre carrière sereinement en sachant que vous avez fait de votre mieux, que vous avez aidé les autres. Vous avez le reste de votre vie pour savourer la satisfaction du travail bien fait.

UN CHAMEAU EST UN CHEVAL CONÇU PAR UN COMITÉ.

Les chevaux sont racés, inspirants et passionnés. Les chameaux sont pratiques, efficaces et sans âme. Les idées-chameaux font souvent du sens sur papier, mais sont difficiles à mettre en pratique. Évitez la bureaucratie qui transforme les idées en chameaux.

APARTÉ SUR L'INTENSITÉ

Lorsque les entreprises intelligentes s'abêtissent.

Cela arrive à tout le monde de s'enliser dans la bureaucratie ou de prendre des décisions à courte vue au détriment des objectifs à long terme. Votre entreprise a-t-elle involontairement commencé à accepter l'inacceptable? Ce sont peut-être des signes que votre belle entreprise devient inefficace.

– Verser des milliers de dollars en honoraires à un chasseur de têtes, mais oublier de prévoir au budget l'achat de cartes d'anniversaire pour les employés.
– Cracher sans sourciller 2 000 $ pour un billet d'avion, puis cesser l'achat de maïs soufflé pour micro-ondes.
– Traiter de toute urgence un virus informatique, mais laisser pourrir le moral à plat des employés.

INFO À EMPORTER

Vous voulez en savoir plus sur la façon dont les entreprises s'abêtissent et prévenir cette situation?
Visitez le site **www.blind-spot-idiocy.com** (site en anglais seulement).

BÂTISSEZ PLUTÔT QUE D'ENTRETENIR.

Il y a deux sortes de personnes : celles qui construisent et celles qui se contentent d'entretenir.

Les bâtisseurs sont heureux lorsqu'ils créent, changent, évoluent, développent. Les conservateurs préfèrent préserver les choses dans leur état actuel.

Ces deux types de personnalités sont nécessaires dans une entreprise, mais les chefs de file sont des bâtisseurs. Dans une entreprise, le statu quo est la mort. Si vous n'avancez pas, vous reculez.

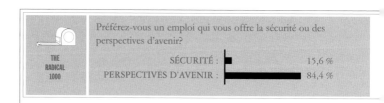

THE
RADICAL
1000

Préférez-vous un emploi qui vous offre la sécurité ou des perspectives d'avenir?

SÉCURITÉ : 15,6 %
PERSPECTIVES D'AVENIR : 84,4 %

Avec chaque réussite, vous risquez de devenir un peu plus gros et un peu plus heureux. Vous n'êtes plus ce perdant piteux et bagarreur et faites face à un obstacle beaucoup plus insidieux : la stagnation. Ce n'est qu'en agissant sans relâche comme si vous deviez prouver quelque chose que vous éviterez l'engourdissement et la paresse.

Quel que soit votre succès, ne perdez pas le goût de la bagarre, votre dynamisme et votre soif de réussir. Sinon, vous traînerez vos meilleures pratiques comme un boulet à vos pieds qui vous précipitera au fond d'un gouffre de complaisance.

DEMEUREZ CELUI QUI A LA FAIBLE COTE.

Lisez aussi la Vérité n° 46 : L'argent vient après le bon travail, pas l'inverse.

DEVENEZ LE HÉROS DE QUELQU'UN.

Quelqu'un, un jour, vous a donné un conseil, vous a reçu en entrevue ou vous a accordé un stage, et ce coup de pouce vous a permis de devenir une personne de carrière. (Et voyez où vous êtes maintenant!) Le moment est maintenant venu de rendre service à votre tour. Soyez le mentor de quelqu'un. Aidez cette personne à devenir ce qu'elle veut être. Non, ça ne prend pas nécessairement beaucoup de temps. Et vous ne devriez pas attendre d'être un vétéran grisonnant avant de vous y mettre.

Règle générale, soutenez deux personne pour chaque personne qui vous a aidé.

INFO À EMPORTER

Êtes-vous prêt à accumuler des bons points? Conseillez des gens de carrière en herbe par l'entremise de notre forum. Tous les mentors et les mentorés sont les bienvenus. Visitez le site **www.wind-beneath-my-wings.com** (site en anglais seulement).

LA PANIQUE CONTINUELLE TUE L'INNOVATION.

Se donner du mal pour faire progresser des projets est une chose, mais posez-vous des questions si vos collègues vous redoutent dès que vous entrez dans une pièce. Ils se sentent débordés. « Attention, tout le monde, le patron s'en vient! » Un relent de terreur remplit le corridor… La panique fait perdre la tête.

En fait, pour la plupart des employés, la peur d'être congédié est pire que le congédiement lui-même. Lorsque l'on craint en permanence d'être mis à la porte, on perd le moral, la confiance en soi et, plus grave encore, la capacité de faire de son mieux.

Pour réussir, il faut connaître la cible, les règles et les zones à éviter, sans quoi il est extrêmement difficile de concentrer ses énergies efficacement. Lorsque les règles changent sans cesse (ou si elles ne sont pas bien définies), on passe plus de temps à rajuster le tir qu'à avancer. Il est déjà assez difficile d'obtenir des résultats exceptionnels sans avoir à gaspiller de l'énergie à guetter les attaques sournoises. Exigez de tous les responsables qu'ils vous expliquent clairement leurs règles et objectifs.

Les évaluations du rendement constituent un bel exemple de la façon dont les instructions et la rétroaction (*feedback*) peuvent orienter pro-activement la course. Des commentaires honnêtes, qu'ils soient positifs ou négatifs, sont utiles dans la mesure où ils sont faits dans l'intention d'aider. Tous les employés qui relèvent de moi savent exactement où je place la barre, quelles sont les récompenses et où ils se situent sur l'échiquier.

IL EST PLUS FACILE
DE GAGNER
QUAND ON CONNAÎT
LE TERRAIN.

MÉTHODE RADICALE

COMMENT DONNER UNE BONNE ÉVALUATION DU RENDEMENT
Le travail d'un gestionnaire consiste à soutenir chaque membre de son équipe pour qu'il joue à son meilleur, n'est-ce pas?

Lorsque le rendement d'un employé mérite des critiques virulentes, analysez avec soin la meilleure façon de les lui communiquer avec un poing de velours*. Une évaluation sévère peut miner le moral d'un employé si elle est faite de façon irréfléchie. Elle peut également améliorer radicalement son rendement. À titre de gestionnaire, vous êtes personnellement responsable de déterminer quel sera le résultat. À moins que vous ayez l'intention de congédier cet employé , il est primordial de le prévenir que vos critiques ont pour objectif de l'aider à être à son meilleur. Donnez des exemples très précis, puis proposes des solutions claires pour régler le problème.

Dans notre Ère de l'intensité, voir son rendement évalué un an après son embauche, c'est attendre environ 11 mois de trop. Je conseille de procéder à une évaluation officieuse des nouveaux employés un mois après leur arrivée dans votre entreprise. Lancez-les dans la bonne direction.

Ne vous contentez pas de parler à votre employé : écoutez-le et posez-lui des questions. Vous pouvez lui demander, par exemple, ce qu'il préfère et ce qu'il aime le moins de son travail, ce qui l'empêche de mieux travailler et pourquoi son compte de dépenses inclut des reçus de taxidermiste.

* POING DE VELOURS : Façon délicate de communiquer des informations ou des opinions blessantes de façon à adoucir leur effet.

MULTIPLIEZ LES GENS DE CARRIÈRE RADICAUX.

Les gens de carrière sont les membres les plus importants de votre entreprise. Pourquoi?

1) Ils sont assez idéalistes pour voir ce qui est possible.
2) Ils exercent un *leadership* de la pensée qui permet de générer des idées.
3) Ils sont assez créatifs pour élaborer de nouvelles options.
4) Leur vitalité inspire leurs collègues.
5) Ils sont assez confiants pour défendre ce en quoi ils croient.
6) Ils démontrent l'assurance voulue pour s'engager résolument dans ce qu'ils entreprennent.
7) Ils sont munis d'« antennes sociales » suffisamment sensibles pour bien comprendre leur environnement.

Les gens de carrière sont ceux qui permettront à votre entreprise de se développer après votre passage. Identifiez-les, encouragez-les puis donnez-leur les coudées franches pour faire ce à quoi ils excellent.

STEVEN WILHITE PARLE DES GENS DE CARRIÈRE

Que pensez-vous de ce titre : vice-président principal du marketing mondial pour Nissan?
C'est celui de Steve. Respecté tant de ses collègues que de ses employés pour son style de gestion
axé sur la motivation, Steve donne les conseils suivants pour stimuler le rendement des employés.

Les meilleurs dirigeants engagent les employés les plus intelligents et les plus dynamiques qui soient, ils leur donnent une stratégie et des paramètres puis leur laissent le champ libre. Trop souvent, les gestionnaires écrasent les jeunes talentueux de crainte qu'ils soulèvent la controverse ou qu'ils les éclipsent.

Recherchez des personnes qui peuvent vous proposer de nouvelles façons de penser, même si elles peuvent être incommodantes. Sans elles, il est impossible de changer et il n'existe pas de nouvelles occasions de croissance.

Chaque entreprise dépend grandement de certains employés qui n'éprouvent aucun malaise à être congédiés à cause des idées qu'ils défendent. L'employé sans conviction ni passion se contente d'encaisser son chèque de paie et l'entreprise ne relève pas le défi d'améliorer son rendement en vue de répondre à des attentes plus élevées.

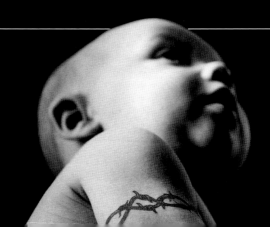

NE VOUS LAISSEZ PAS ÉBLOUIR PAR CEUX QUI JETTENT DE LA POUDRE AUX YEUX.

Pour une réunion importante, je crois beaucoup à une formule de présentation sobre. La menace, c'est de se concentrer sur le « spectacle » au détriment de la réflexion. Une logique défaillante n'impressionnera pas davantage si elle est écrite en jolis caractères. Plutôt que de servir huit pâtisseries différentes lors de votre présentation, trouvez huit façons de plus pour permettre à votre client d'accroître ses revenus grâce à votre projet.

AMENEZ DES GENS AVEC VOUS.

À mesure que votre carrière évolue, entraînez tous ceux qui vous entourent dans votre sillage. Lorsque vous soutenez les employés sous votre direction plutôt que d'être en concurrence avec eux, ils vous permettent de briller encore plus. Lorsque les gens reconnaissent leur propre valeur, ils l'augmentent.

Selon Nicole Williams, fondatrice de Wildly Sophisticated Media, cette attitude provient d'un comportement grégaire : « Une personne de carrière peut se sentir seule, alors entourez-vous de gens que vous pouvez soutenir et qui sauront vous épauler. Notre univers nous offre suffisamment d'occasions intéressantes pour satisfaire tout le monde. »

N'importe quel gestionnaire en ressources humaines vous expliquera que ce n'est pas simplement pour des raisons vagues. La ressource la plus précieuse d'une entreprise – lorsque l'on inclut l'investissement nécessité par le recrutement, la formation, la propriété intellectuelle, le remplacement des employés et la fidélité de la clientèle – c'est son personnel.

Voyez aussi la Vérité n° 21 : Respectez le cycle karmique.

La réussite est parfois une question de chance, de talent ou de compétences. Mais la plupart du temps, pour réussir il faut se battre corps à corps avec la défaite jusqu'à ce qu'elle demande grâce.

~

RÉUSSISSEZ VOTRE DÉFAITE

LES ERREURS
SERVENT DE LEÇONS.

Ma mère a un don précieux pour trouver du positif dans n'importe quelle situation difficile. Petite, lorsque je commettais des erreurs (c'est-à-dire tous les jours…), elle me disait : « Regarde-moi ça, tu viens de payer pour apprendre. Tu feras mieux la prochaine fois. » Cette vision des choses aide tellement les gens à s'assumer dans les situations d'échec!

J'ai déboursé des sommes parfois très élevées pour apprendre… Les objectifs difficiles à atteindre présentent les plus grandes possibilités d'échec. Si vous n'essuyez aucun revers, il y a fort à parier que vous ne vous engagez pas pleinement, que vous ne prenez pas de risques. Le secret n'est pas d'éviter les défaites à tout prix, mais plutôt de savoir comment y réagir lorsqu'elles surviennent.

LE CATALYSEUR DE RÉUSSITE LE PLUS EFFICACE
EST L'ÉCHEC.

L'échec est parfois la meilleure chose qui puisse nous arriver.
C'est à ce moment que se réalisent les plus grandes percées.

Selon de nombreuses études, les personnes qui ont vécu une
enfance difficile, pendant la Dépression ou la guerre par
exemple, connaissent souvent une réussite florissante par la
suite. Les difficultés nous amènent à aborder la survie avec
plus d'enthousiasme et de résilience. Soit les épreuves nous
blessent, soit elles nous rendent plus forts. L'adversité nous
enseigne des leçons fondamentales. (C'est vraiment le bon
côté des choses.)

THE
RADICAL
1000

De quoi avez-vous le plus tiré de leçons?

DES RÉUSSITES :   39,9 %
DES ÉCHECS :   60,1 %

TRAVAILLEZ EN VUE *DU POSITIF,* PAS EN ÉVITANT *LE NÉGATIF.*

VOUS

ÉCHEC

Vous ne pourrez pas réussir si votre objectif est d'éviter les échecs.

Vous ne pourrez pas avancer si vous vous entêtez à ne pas reculer.

LA **PEUR** PARALYSE.

Si quelqu'un pointe un pistolet dans votre direction, vous fixerez probablement l'arme plutôt que de chercher une échappatoire. C'est l'instinct. La peur professionnelle produit le même effet. On s'immobilise et on fixe son attention sur le problème plutôt que d'analyser les innombrables solutions qui s'offrent à nous.

71 **VÉRITÉ RADICALE**

L'ANTIDOTE DE LA **PEUR**, C'EST L'ACTION.

L'action est la seule façon de se renforcer. En exerçant vos choix, vous reprenez le contrôle et vous vous remettez en marche.

ANALYSEZ VOS PROPRES PROBLÈMES AVANT DE BLÂMER LES AUTRES.

On jette facilement le blâme sur le bureau, le patron ou les clients. Et ils sont peut-être effectivement dans l'erreur. Mais arrêtez-vous un instant pour vous poser ces questions (et soyez scrupuleusement honnête) :

A) Faites-vous quelque chose qui cause le problème?

B) Y a-t-il quelque chose que vous NE FAITES PAS qui cause le problème?

Plus vous assumez votre responsabilité, plus vous tirez du pouvoir de cette situation.

PERDEZ
SANS TARDER.

Dans la mesure du possible, *décidez* de perdre plutôt que d'être *obligé* d'accepter de perdre. S'il s'avère que votre travail est voué à l'échec, acceptez l'inévitable le plus tôt possible. Par exemple, si vous vous rendez compte que l'entreprise qui vient de vous embaucher s'en va à la dérive, que votre service perd des clients à pleines portes et que votre patron est un bon à rien, n'attendez pas passivement en vous demandant si la situation va changer. Dans une telle situation, l'inertie est un suicide professionnel.

Voyez aussi la Vérité n° 19 : Avoir un emploi minable n'est pas votre faute, mais le conserver, ça oui.

**APARTÉ SUR
L'INTENSITÉ**

Pensez-vous être congédié bientôt? Voici quelques indices d'un congédiement imminent :

Vous n'êtes pas invité aux réunions.
On ne vous confie que des mandats sans importance.
Vous n'arrivez pas à vous attribuer une seule réussite pour toute l'année écoulée.
Il y a un T-4 dans votre boîte aux lettres.

SORTEZ UN LAPIN DU CHAPEAU, MÊME S'IL N'Y A NI LAPIN NI CHAPEAU.

Vous disposerez rarement des ressources, des outils, de la formation et du soutien nécessaires pour réussir. En fait, le succès vous semblera presque assurément impossible, mais cela ne veut pas dire qu'il est inatteignable. Si c'était facile, tout le monde réussirait.

Le fait d'être celui que tout le monde donne perdant peut reléguer un employé dans l'ombre ou encore le provoquer et le stimuler à atteindre son rendement optimal. Et vous, quelle sera votre réaction?

PAROLE DE GOUROU

« Les difficultés, c'est ce qui rend les choses intéressantes. »
TOM HANKS

PROTÉGEZ L'ESPOIR, À TOUT PRIX.

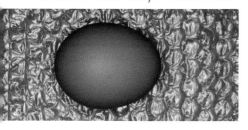

Il y a pire que perdre son emploi, sa réputation, son petit pécule ou même sa fierté : perdre l'espoir. Toute la question de la gestion de carrière consiste à vous placer en situation de pouvoir. Accepter une baisse de salaire, essayer puis échouer ou commettre un FC... on peut se reprendre. Mais si votre espoir meurt, il est extrêmement difficile de le retrouver.

LA VRAIE VIE

Lorsque je me suis trouvée clouée au lit, sans travail et sans espoir, j'ai pu compter sur le soutien de ma très sage amie Caskey.

Un après-midi, complètement désespérée, je lui dis : « Je veux seulement redevenir comme j'étais! »

J'apprécie encore aujourd'hui la justesse de sa réponse : « Tu ne reviendras jamais *la personne que tu étais*, tu avanceras et deviendras *une nouvelle personne*. »

LES GENS DE CARRIÈRE SONT CEUX QUI SUBISSENT LE PLUS DUREMENT LES ÉCHECS.

Nous nous distinguons grâce à notre capacité à agir et à produire des résultats. Ironiquement, cette attitude peut jouer contre nous lorsque ça ne va pas parce que nous tenons pour acquis que nous pouvons nous en sortir. De nombreuses études démontrent que ceux qui réussissent souffrent beaucoup plus de dépression que les travailleurs moyens parce qu'ils sont plus exigeants envers eux-mêmes et moins portés à chercher de l'aide.

Si vous traversez une période sombre, n'oubliez pas ceci : le progrès est parfois imperceptible puisqu'il s'opère de l'intérieur. Même si vous vous sentez acculé à une défaite cuisante, vous êtes en fait une chrysalide* qui se prépare à se dévoiler plus forte et plus sage.

Voir aussi la Vérité n° 67 : Les erreurs servent de leçons.

---

* CHRYSALIDE : État transitoire au cours duquel votre développement n'est pas évident à l'œil nu, mais aboutira en définitive à une transformation spectaculaire.

ATTENDEZ-VOUS
À CE QUE LES AUTRES
VOUS SOUS-ESTIMENT.

Les gens de carrière ont des aspirations élevées, mais leurs collègues moins ambitieux les discréditeront. Ne laissez personne vous confiner dans une réalité plus contraignante, qui laisse moins de place à l'ambition. Lorsque quelqu'un prétend que vous n'arriverez pas à accomplir une tâche, tentez de comprendre son raisonnement. Puis, dites-lui d'aller se faire cuire un œuf.

MAINTENEZ CET ÉQUILIBRE PRÉCAIRE ENTRE L'INSPIRATION ET L'ANGOISSE.

Les gens de carrière se nourrissent
du possible, plutôt que de se laisser
restreindre par ce qui existe.

~

CHAPITRE
8

RÉINVENTEZ-VOUS

FAITES CE QUE VOUS PRÉFÉREZ FAIRE.

La vie est trop courte pour peiner dans un emploi qui ne vous inspire pas. Préféreriez-vous faire autre chose? À compter d'aujourd'hui, imaginez la marche à suivre pour atteindre vos objectifs et activez-vous.

Un jour, des chercheurs de l'université de Chicago ont divisé les joueurs d'une équipe de basketball en deux groupes. Un groupe s'entraînait au gymnase tous les jours, alors que le second passait autant de temps à visualiser les mêmes exercices sans les exécuter. Au bout de six semaines, les deux groupes avaient exactement la même performance.

MÉTHODE RADICALE

COMMENT OUVRIR LA PORTE DE SERVICE

Vous essayez de rejoindre quelqu'un dans une entreprise?
Un courriel peut s'avérer plus efficace qu'une lettre ou un appel téléphonique puisque votre destinataire peut répondre plus rapidement. Donnez à votre message un titre explicite.

Par exemple, si vous voulez écrire à Jeanne Tremblay, cherchez son adresse de courriel dans le site Web de l'entreprise ou encore envoyez votre message au service des ressources humaines.

DÉTERMINEZ CE QUI VOUS FREINE, PUIS AGISSEZ EN CONSÉQUENCE.

Rien de plus.

CONSEIL DE PRO

LIÈVRES CONTRE TORTUES

Ginny Hopkirk collabore à la direction du design de chaussures pour l'entreprise par excellence pour les gens de carrière : Nike. Son conseil sur la différence entre un sprint (un mandat aux délais serrés) et un marathon (un projet à plus long terme) :

- Un sprint exige un effort intense de grande concentration et vous devez donner votre maximum sur-le-champ. Évitez l'épuisement causé par trop de sprints.
- La nature d'un marathon permet des pauses pour jauger vos progrès et vous réajuster.
- Soyez tenace, puisez profondément dans vos ressources, exploitez votre détermination. Développez vos aptitudes pour ces deux genres de mandats.

NE LAISSEZ PAS FILER L'OCCASION.

Par leur nature même, les belles occasions ont une portée limitée dans le temps. Si une occasion exceptionnelle se présente à vous, ne perdez pas de temps à prendre une décision.

LA VRAIE VIE

De quoi rassurer tous les parents de décrocheurs : Bill Gates a quitté Harvard avant d'obtenir son diplôme parce qu'il était persuadé que la conjoncture était parfaite pour une idée aussi saugrenue qu'un ordinateur personnel…

BŒUF AU SÉSAME

BRISEZ LA ROUTINE.

Nous avons tous des habitudes douillettes. Comme tout le monde, j'aime bien ma soirée de cinéma à la maison, mais parfois nos habitudes définissent insidieusement notre vie.

Que tenez-vous pour acquis? Qu'est-ce qui ne vous stimule pas à trouver une meilleure solution, plus innovatrice? Réglez-vous toujours les problèmes au moyen des mêmes stratégies? Mangez-vous toujours avec les mêmes personnes? Dormez-vous du même côté du lit nuit après nuit? Arrêtez de creuser les mêmes ornières et utilisez plutôt votre pelle pour les combler. Bousculez les conventions de votre vie : commandez autre chose que vos sempiternelles nouilles frites aux crevettes.

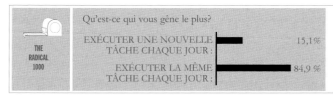

Qu'est-ce qui vous gêne le plus?

THE RADICAL 1000

EXÉCUTER UNE NOUVELLE TÂCHE CHAQUE JOUR : 15,1 %

EXÉCUTER LA MÊME TÂCHE CHAQUE JOUR : 84,9 %

IL N'EST JAMAIS

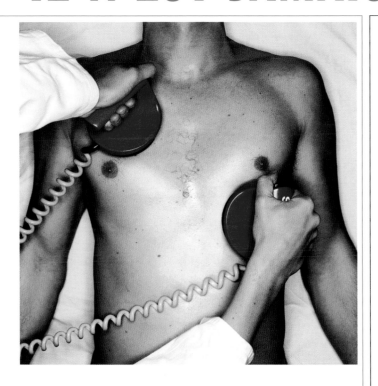

TROP TARD POUR COMMENCER À GÉRER SA CARRIÈRE.

Bien sûr, ce n'est pas facile. Vous serez peut-être même obligé d'accepter une baisse de salaire, mais j'ai vu ça souvent. En commençant à gérer votre carrière au milieu de votre parcours professionnel, non seulement vous renouvellerez votre capacité de faire des gains et vous accélérerez la progression de votre carrière, mais vous deviendrez aussi beaucoup plus heureux. Rappelez-vous de ceci si votre emploi n'est pas à votre hauteur.

Vous méritez exactement l'emploi que vous voulez, aussi intimidant ou décourageant que cela vous semble.

Voyez aussi la Vérité n° 45 : Options = pouvoir

PAROLES DE GOUROU

« Faites chaque jour quelque chose qui vous effraie. »
ELEANOR ROOSEVELT

PERDRE COURAGE, CE N'EST PAS PERDRE SES MOYENS.

Baissons l'éclairage de la maison pendant quelques minutes.

Au cours de votre carrière, il peut vous arriver de vous sentir perdu, dépassé, abattu ou même déprimé. Vous êtes peut-être dans cet état en ce moment. Si c'est le cas, la gestion de carrière peut vous sembler complètement irréaliste : il est difficile d'avancer avec assurance lorsque l'on se sent coincé en mode de survie. Je le sais, mais vous ne manquez pas de moyens même si vous vous sentez impuissant.

Vous avez toujours le choix.
Toujours,
toujours,
toujours.

Et comme vous le savez, « choisir » égale « pouvoir ».
Rappelez-vous de ceci lorsque vous êtes tenté de vous

DITES « MERDE » À LA RATIONALITÉ.

Vous ne pouvez pas devenir vraiment exceptionnel si vous obéissez toujours aux règles, c'est impossible. Par définition, les règles définissent les conventions. Si vous voulez surpasser les résultats, vous devez sortir de la norme. Les règles imposent toujours des limites.

**LA VRAIE
VIE**

PIED EN PLASTIQUE ET GÂTEAU

Voici des exemples où certaines personnes sont allées trop loin en voulant faire fi de la rationalité. Lorsque j'occupais mon emploi précédent, je recevais une cinquantaine de curriculum vitæ par semaine. Certains candidats ont trouvé des façons plutôt « intéressantes » d'attirer mon attention.

– Avant que j'aie mon propre site Web, quelqu'un a acheté le nom de domaine www.sallyhogshead.com et a refusé de me le rendre avant que j'accepte de le recevoir en entrevue!

– Un autre m'a envoyé un grand gâteau rectangulaire au chocolat portant son curriculum vitæ reproduit sur le glaçage.

– Et pour terminer, le fin du fin : une femme qui cherchait du travail pour la première fois de sa vie m'a envoyé un (faux) pied pour avoir « un pied dans la porte »… N'y pensez même pas!

85

SAUTEZ ET VOUS VERREZ UN FILET.

Je me suis répété cette phrase à maintes reprises. Il est impossible de réussir lorsque la crainte nous incite à nous accrocher à des situations dépassées. C'est seulement lorsque l'on monte au front sans réserve que les occasions les plus prometteuses s'offrent à nous.

Quelle est la passion qui vous anime depuis toujours? Si vous avez décidé ce que vous voulez faire et vous vous êtes bien préparé, vous n'avez qu'à commencer à tisser votre filet méthodiquement. Remarque : je ne vous recommande pas de sauter avant d'être prêt, mais ne vous empêchez pas de le faire parce que vous avez peur.

Signes indiquant que vous êtes prêt à faire le saut :

1) *Vous détestez l'idée d'aller travailler le matin.*
2) *Vous vous efforcez davantage à survivre qu'à vous épanouir.*
3) *Vous avez troqué l'objectif de faire de votre mieux pour celui de rendre votre patron heureux.*
4) *Vous ne faites plus confiance à vos collègues de travail.*
5) *Vous n'avez plus de respect pour votre entreprise.*
6) *Vous avez perdu confiance en vous.*
7) *Vous avez piqué assez de fournitures de bureau pour remplir une armoire et votre patron est à vos trousses.*

MÉTHODE RADICALE

COMMENT FAIRE LE SAUT, SELON SABRINA ROSS LEE

Sabrina et moi avons étudié ensemble à l'Université Duke et je vous avoue qu'elle est l'une des personnes les plus intelligentes que j'aie rencontrées. Après avoir décroché son diplôme avec les meilleures notes de son groupe, elle a obtenu un emploi très payant. Pourtant, après quelques années, elle a senti qu'il ne répondait pas à ses attentes. Est-elle retournée aux études pour faire son droit? Non. Pour étudier en administration? Non. En médecine? Non plus. Elle a quitté son prestigieux poste dans le monde des affaires pour joindre une troupe de danse moderne. Voici ses conseils pour sauter dans le vide :

- Ne regardez jamais en bas. En danse, sauter, c'est faire oublier momentané- ment aux spectateurs que la gravité existe. Pour exécuter ce mouvement, vous devez refuser, pendant un instant, de tenir compte du sol.
- Décidez à partir de quelle hauteur vous voulez sauter AVANT de vous élancer. Une fois que vous êtes dans les airs, il est déjà trop tard.
- Pour déterminer jusqu'à quelle hauteur vous pouvez sauter sans tomber, vous devez d'abord tomber. Vous devez dépasser vos limites. Les répéti- tions vous donnent l'occasion de tomber pour que vous puissiez calculer avec exactitude les risques que vous prenez.

Vivez-vous pour travailler
ou bien travaillez-vous
pour vivre?

~

MAINTENEZ VOTRE ÉQUILIBRE DANS UN BUT PRÉCIS

« ÉQUILIBRÉ »
NE SIGNIFIE PAS « LÂCHE ».

Être équilibré n'est pas une excuse pour s'esquiver du bureau en douce avant 17 h. Il ne s'agit pas d'un partage 50/50, mais plutôt 100/100. Vous pouvez vous engager à fond dans votre carrière et la réussir sans voir votre vie personnelle aller à la dérive. Obligez-vous avec passion à réussir ces deux aspects de votre vie. Le secret, c'est de vous investir à fond dans tout ce que vous faites.

**CONSEIL
DE PRO**

STEVE STANFORD EXPLIQUE SA CONCEPTION DE L'ÉQUILIBRE 100/100

Président et chef de la direction du site Internet Icebox.com qu'il a fondé, Steve a été nommé l'une des personnes les plus innovatrices du XXᵉ siècle par le magazine Time. *Il subit des pressions intenses et pourtant, il refuse de compromettre sa description de poste la plus importante : papa de trois filles. Voici ses conseils pour équilibrer le travail et la famille :*

– Concentrez-vous sur vos objectifs à long terme, et non sur le processus. Pourvu que vous progressiez vers votre objectif, vous pouvez concevoir un processus qui fonctionnera dans votre cas.

– Rares sont les tâches qui ne peuvent pas attendre une petite heure. Les employés, particulièrement dans le milieu des affaires, ont la fâcheuse tendance de créer inutilement un sentiment d'urgence.

– À la longue, l'équilibre ne consiste pas à négliger le travail ou la famille, il s'agit de réorganiser votre emploi du temps. Prenez le vol de nuit, levez-vous à quatre heures du matin ou trouvez un autre moyen pour pouvoir border vos enfants le soir.

UN PROFIL D'EMPLOI
N'EST PAS UN PROFIL DE SOI.

Nous, les gens de carrière, sommes souvent coupables de nous définir par l'entremise de notre carrière. Lors d'une soirée, nous abordons les inconnus en leur demandant : « Où travaillez-vous? » Pas étonnant que nous personnalisons nos réussites et nos échecs.

Vous définir en fonction de votre travail ne présente aucun problème lorsque tout va bien, parce que l'on vous définit comme une personne estimée, productive et récompensée. Les problèmes surgissent lorsque vous perdez cet emploi prestigieux ou décidez d'accepter une diminution de salaire et de quitter l'autoroute du monde des affaires pour rester à la maison avec les enfants. Dans ce cas, si vous vous êtes toujours identifié à votre travail, le changement peut attaquer votre image de vous-même.

Essayez pour voir. Tenez-vous à vivre entièrement, passionnément, sans réserve? Alors vous n'êtes pas votre emploi. Votre travail est une expression de vous… de la meilleure version de vous-même.

BONJOUR,
je m'appelle

ARCHITECTE

LE TRAVAIL EST
UNE VOIE À DOUBLE SENS.

Selon un mythe insidieux, le travail est un mal nécessaire que l'on doit tolérer avant de s'échapper vers la « vraie » vie. Votre emploi draine vos énergies. Votre patron est ennuyeux et vous devez payer le loyer. En général, le travail c'est « je dois », plutôt que « je veux ».

Je trouve cette situation pitoyable.

Selon moi, le travail devrait offrir des avantages directement proportionnels à ses exigences. Nous consacrons du temps et des énergies et en contrepartie, nous méritons du soutien et de la stimulation de la reconnaissance et du respect, de nouveaux défis, de nouvelles compétences, de nouvelles perspectives d'avenir.

Aujourd'hui, les employés passent de 60 à 70 % de leurs heures de veille au travail. Nous nous devons de nous forger une carrière qui mérite tant de temps. Si votre travail ne vous offre pas autant que ce qu'il exige de vous, vous passez à côté de la passion et de la capacité d'expression personnelle que peut vous procurer une carrière stimulante. Le moment est venu de changer soit votre travail, soit la façon dont vous le faites.

C'est parce que le travail est si exigeant envers nous que nous devons exiger autant en retour.

UN EMPLOI NE VOUS RENDRA PAS VOTRE AMOUR.

Même si vous adorez votre emploi, vos collègues et vos clients, n'investissez pas tout votre bien-être émotionnel dans le travail. Ne cherchez pas dans votre travail le genre de gratification émotionnelle que vous devriez obtenir auprès de votre famille et de vos amis.

J'ai déjà fait de mauvais compromis pour le travail en négligeant l'équilibre. J'ai manqué le premier anniversaire de mon fils Quinton, ses premiers pas. Un jour, alors qu'il avait trois ans, il m'a dit : « Tu n'es pas ma maman, tu es la maman du bureau. » J'ai encore mal en y repensant. Mais à partir de ce moment, j'ai modifié mon horaire. Je ne veux plus jamais être la maman du bureau.

INFO À EMPORTER

Lisez « Recovering from Workaholism: A 12-Step Program » à l'adresse **www.workaholics-anonymous.com** (site en anglais seulement).

CONSERVEZ UNE SAINE HYGIÈNE DANS VOS RELATIONS.

Pour beaucoup de types d'emplois, il est difficile de refuser un appel du bureau alors que vous soupez à la maison ou de ne pas avoir à annuler une rencontre avec des amis à cause du travail. Mais ces habitudes contaminent vos relations et il est difficile de s'en débarrasser. Réservez-vous du temps pour vous engager pleinement avec ces êtres humains que vous appelez vos amis et les membres de votre famille. Vous devez trouver l'interrupteur.

INFO À EMPORTER

Si vous croyez que VOUS N'AVEZ PAS à équilibrer vos relations personnelles et votre travail, veuillez consulter ce site : **www.divorce-lawyers-r-us.com** (site en anglais seulement).

N'ATTENDEZ PAS D'ÊTRE SUR VOTRE LIT DE MORT POUR REDÉFINIR VOS PRIORITÉS.

Nous avons tous entendu cette expression : « Aucun mourant n'a jamais souhaité avoir passé plus de temps au bureau. » Bon. Mais que dire d'une vie entière consacrée à une carrière qui ne mérite pas d'être aimée? Dix, vingt ou trente années à trimer sans trouver de sens à son occupation? Une étude d'Al Reis sur les retraités a révélé que 75 % d'entre eux regrettaient de ne pas avoir changé d'emploi à un moment ou un autre. Quelle tristesse!

Aimer votre carrière ne signifie pas que vous devez travailler plus ou manquer des moments importants de votre vie à l'extérieur du bureau. En fait, aimer votre carrière pourrait vous amener à réduire vos activités pour occuper un poste à temps partiel, à retourner aux études ou à déménager plus près des membres de votre famille. Le secret, c'est qu'une fois sur votre lit de mort, vous regardiez votre parcours et soyez heureux des choix que vous avez faits. Les minutes deviennent des jours, des semaines, des mois et des années, puis soudainement on se rend compte qu'on ne peut plus regarder devant, mais seulement derrière nous.

**PAROLES
DE GOUROU**

« Pensez à la vie comme si c'était une maladie mortelle parce que vous la vivrez avec joie et passion, comme elle mérite d'être vécue. »
ANNA QUINDLEN, ROMANCIÈRE

UNE VIE BIEN REMPLIE EST IMPOSSIBLE SANS JOIE AU TRAVAIL.

Si votre travail vous stimule, vous inspire et vous comble, vous êtes une meilleure amie, une meilleure conjointe, une meilleure fille et tout le reste. Et inversement, si vous n'êtes pas à votre maximum au travail, comment pourriez-vous être à votre mieux ailleurs?

LA VRAIE VIE

Aux États-Unis, le taux de suicide des dentistes est de 6,64 fois plus élevé que dans la population active en général. Cela se tient quand on pense à l'expression que l'on a lorsque notre dentiste nous annonce qu'il doit nous faire un traitement de canal. (Je le sais bien, je suis accro aux sucreries.)
Source : Steven Stack, chercheur

FUYEZ LES SITUATIONS TOXIQUES.

Ce n'est pas très agréable de se lever tous les matins pour faire un travail qu'on n'aime pas. Des politiques, des pressions ou des limites peuvent vous gêner. Ou peut-être votre emploi est-il mauvais pour vous parce qu'il vous empêche d'acquérir du capital pour votre carrière ou parce qu'il ne vous passionne pas.

Par contre, un emploi toxique est bien pire. Il vous amène à avoir une très mauvaise opinion de vous-même. Un emploi toxique vous blesse à l'âme. Il détruit votre confiance en vous, il mine votre estime personnelle et vous fait dépenser une fortune en honoraires de psychothérapie. Tout comme vous vous montrez « à la hauteur » des attentes élevées de vos partisans, vous allez être « à la médiocrité » des attentes faibles de vos critiques.

Comment pouvez-vous vous échapper d'un emploi toxique, ou même l'éviter? Il s'agit d'accumuler suffisamment de capital portatif pour avoir toujours le choix de quitter lorsque vous vous trouvez en position de force.

Si vous n'aimez pas votre travail, prenez le temps nécessaire pour vous préparer stratégiquement à trouver votre prochain emploi. Si vous avez un emploi toxique, sauvez-vous.

Tout de suite.

94

VOUS ÊTES UNE ŒUVRE EN ÉVOLUTION.

Nous arrivons à comprendre au fur et à mesure. Nous apprenons.
Si vous n'y êtes pas encore, continuez à essayer. Souvent, le processus
pour y arriver vaut plus que le fait d'atteindre votre destination.

Moi aussi, je suis une œuvre en évolution
Puis-je vous demander de l'aide? C'est mon premier livre. Comment le trouvez-vous? Qu'est-ce qui vous plaît? Et qu'est-ce que vous n'aimez pas? Aidez-moi à améliorer ce livre et à m'améliorer moi-même. Je lirai personnellement chaque courriel (le seul inconvénient étant que je n'aurai pas toujours l'occasion de répondre, comme l'explique la Vérité n° 90). Pour me faire part de votre opinion (négative ou positive), veuillez consulter le site www.sally-performance-review.com (site en anglais seulement). Je suis prête, allez-y.

Aujourd'hui vous vivez parce que quelqu'un s'est donné un mal fou pour vous porter, vous donner naissance et prendre soin de vous. Et elle n'a pas fait tout cela pour que vous deveniez une personne quelconque.

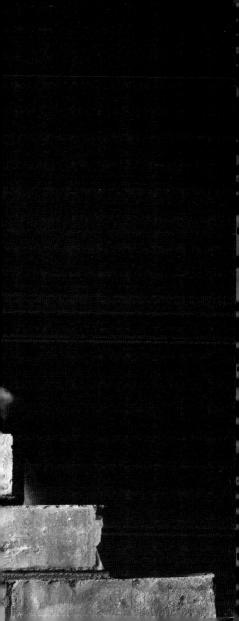

Refusez de vous habituer
à la médiocrité.

~

RAPPELEZ-VOUS QUI VOUS ÊTES

TROUVEZ VOTRE FACTEUR PISTACHE.

Tout le monde n'aime pas les pistaches, mais pour les inconditionnels, seule la crème glacée aux pistaches fera l'affaire. Alors, si une caractéristique à la fois folle et merveilleuse vous distingue, utilisez-la à votre avantage.

CONSEIL DE PRO

ALEX BOGUSKY PARLE DE LA *PISTACHOSITÉ*

À titre de directeur de la création chez Crispin Porter + Bogusky, Alex crée des campagnes publicitaires inimitables pour des clients tels MINI, Virgin et Burger King. Voici ses conseils aux entreprises et aux personnes qui ne souhaitent pas devenir banals comme de la crème glacée à la vanille.

- Rien ne devrait vous empêcher de réinventer.
- Vous ne convenez pas à tout le monde et n'essayez pas de le faire. Concentrez-vous sur les gens et les entreprises qui partagent à peu près les mêmes idées que vous.
- Abordez *tous* les mandats comme autant d'occasions de vous distinguer.
- Évitez les « idées dépassées » en vous surpassant constamment. Allez au-delà de vos meilleures idées (avant que quelqu'un d'autre ne le fasse à votre place).

INFO À EMPORTER

Vous voulez stimuler votre « facteur pistache »? Consultez le site **www.anti-vanilla.com** (site en anglais seulement).

FIEZ-VOUS À VOTRE INSTINCT, IL EST PLUS ASTUCIEUX QUE VOUS.

Parfois, vous avez une intuition à propos d'une personne, d'une conversation ou d'un projet. Si votre esprit et votre instinct ne s'entendent pas, écoutez attentivement votre instinct. Il perçoit souvent quelque chose que vous ignorez.

FAITES CE
QUE VOUS ÊTES.

Pour exploiter votre plein potentiel, vous devez vous exprimer sans retenue. Nous nous exprimons tous de manière différente, mais que vous soyez un feu d'artifices ou une personne discrète, la meilleure carrière pour vous sera une expression de vous-même. Ce que vous *faites* devrait refléter ce que vous *êtes*.

Cette attitude est valable pour toutes les professions : un chef d'entreprise, un étudiant, un ouvrier d'usine ou une maman à la maison.

Vous pouvez être vraiment extraordinaire
seulement lorsque vous pouvez être vraiment vous-même.

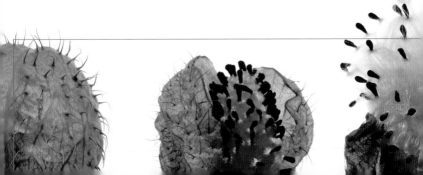

MÉTHODE RADICALE

TROUVEZ VOTRE « AFIN »

Quel est le motif réel de vos gestes? J'appelle ça le « afin ». Vous faites quelque chose afin d'obtenir quelque chose afin d'obtenir un résultat. Connaitre votre « afin » ultime vous aide à être plus heureux dans tout ce que vous faites. Par exemple, alors que les gens nomment souvent l'argent comme objectif, il ne s'agit pas d'un but en soi. C'est « afin » d'obtenir de la sécurité, du respect ou une sécurité financière.

En fait, un but n'est souvent qu'un objectif superficiel qui cache une intention plus profonde menant à une intention ultime. Voici un chouette diagramme :

OBJECTIF SUPERFICIEL *[afin]* **INTENTION PLUS PROFONDE** *[afin]* **INTENTION ULTIME**

Voici un exemple : disons que votre but est d'obtenir une promotion pour avoir du prestige, une augmentation de salaire, etc. Mais si vous y pensez vraiment, vous pourriez vous rendre compte que la promotion n'est qu'un objectif superficiel. Votre intention profonde est d'avoir un emploi du temps plus souple afin de pouvoir jouir de votre intention ultime : avoir vos fins de semaine libres pour les passer avec votre famille. Voici à quoi cela ressemble :

PROMOTION *[afin]* **EMPLOI DU TEMPS SOUPLE** *[afin]* **PASSER PLUS DE TEMPS EN FAMILLE**

Si votre « afin » est de passer plus de temps avec votre famille, la promotion n'est qu'un moyen d'arriver à vos fins. Il est important d'évaluer ce facteur dans votre volonté d'obtenir une promotion.

98

VOUS ÊTES NÉ DIFFÉRENT DE TOUS LES AUTRES.

Vous êtes arrivé dans ce monde entièrement vous-même. Garçon ou fille, maigre ou dodu, blond ou brun, vous étiez une perfection miraculeuse parce que vous n'étiez rien de moins que vous-même. Vous êtes *né* une personne de carrière.

Et puis, c'est arrivé : vous avez vieilli.

Vous avez cessé d'être vous-même pour devenir poli. Vous avez arrêté de demander ce que vous vouliez pour commencer à demander la permission.

Êtes-vous prêt à redevenir vous-même et rien de moins?

Qu'est-ce qui fait que vous êtes ce que vous êtes?

Qui pouvez-vous être que personne d'autre ne peut être?

Une fois que vous aurez trouvé ces réponses, possédez-les. Incarnez-vous. Devenez vous-même encore davantage.

**Ce n'est pas seulement votre carrière.
C'est l'œuvre de votre vie.**

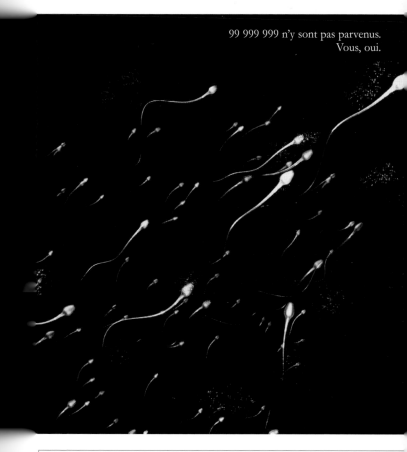

99 999 999 n'y sont pas parvenus.
Vous, oui.

PAROLES DE GOUROU

« Trouvez qui vous êtes et puis faites-le volontairement. »
DOLLY PARTON

L'AVANTAGE CONCURRENTIEL
ULTIME, C'EST D'EXPRIMER
VOTRE PERSONNALITÉ
LA PLUS AUTHENTIQUE.

La culture d'entreprise traditionnelle entraîne une homogénéité sclérosante. La réussite exige une certaine conformité. Le jeu consiste à porter le « bon » tailleur, à donner la « bonne » poignée de main, à écrire sur le « bon » papier à en-tête. Des centaines de livres vous expliquent comment faire la « bonne » chose.

Mais faire ce qu'il faut, c'est standard, ennuyeux. Franchement, vous êtes au-dessus de tout cela.

Être une personne de carrière signifie que vous êtes la meilleure, la plus exceptionnelle version de vous-même.

Ne vous nivelez jamais par le bas et ne pensez jamais rien de moins intéressant.

N'acceptez jamais de compromis au sujet de vos avantages innés.

Ne confondez jamais votre bureau avec une case.

Quelle est votre personnalité authentique? Trouvez-la au
www.ultimate-competitive-advantage.com (site en anglais

FAITES EN SORTE QUE VOTRE AUTOBIOGRAPHIE MÉRITE D'ÊTRE LUE.

Une carrière qui vous comble et vous rend fier n'est pas le facteur le plus important de votre vie, pas du tout, mais il s'agit bel et bien d'un élément. C'est un facteur essentiel pour tuer le temps si votre travail ne vous stimule pas. Vous passez d'un emploi à l'autre, et un jour vous réfléchissez à votre vie jonchée d'efforts dénués de sens… Une tragédie.

Dans de nombreuses années, lorsque nous serons vieux et à la retraite et que nous repenserons à notre vie, souhaitons avoir vécu tout ce que nous avions à vivre, n'avoir laissé filer aucune occasion, n'avoir gaspillé aucun talent, avoir réalisé toutes nos aspirations.

Une possibilité vit au sein de vous.

La possibilité d'une carrière
si extraordinaire
qu'elle mérite votre temps,
vos talents, votre cœur.

Quel est votre potentiel?

Quelle occasion extraordinaire vous attend?

Trouvez cette possibilité. Mettez-la au monde.
Faites-en le projet de votre vie.

Parce que lorsque vous agirez ainsi,
vous aurez une carrière
qui méritera d'être aimée.

LES OXYMORONS
DE LA GESTION DE CARRIÈRE

1. LA SÉCURITÉ PRÉSENTE UN RISQUE.

2. LES PROBLÈMES SONT DE BELLES OCCASIONS.

3. LES SOLUTIONS À LONG TERME SONT TEMPORAIRES.

4. DITES NON AUX « BÉNI-OUI-OUI ».

5. LES BONNES RELATIONS MÉRITENT QU'ON SE BATTE.

6. POUR BÂTIR LA CROISSANCE, IL FAUT ABATTRE LES BARRIÈRES.

7. LA PERFECTION EST BROUILLONNE.

8. GRANDISSEZ PLUS PETIT.

9. LE JARGON NE VEUT RIEN DIRE.

10. LES DIFFICULTÉS SONT DES POSSIBILITÉS.

BRÈVE HISTOIRE DES GENS DE CARRIÈRE

La gestion de carrière n'est pas nouvelle. Depuis la nuit des temps, les personnes ambitieuses ont toujours développé leur carrière, et le bien-être de l'humanité, en refusant le statu quo.

Le premier homme à faire du feu
Nº 9 : OUBLIEZ CE QUI EST ÉCRIT SUR VOTRE CARTE PROFESSIONNELLE : VOUS ÊTES UN ENTREPRENEUR

SITE WEB
RADICAL
CAREERING

*Vous êtes prêt à mettre à l'œuvre
vos nouvelles compétences de gestion de carrière?*

Allez-y.

Vous trouverez en ligne toutes sortes d'idées
et d'outils fous et géniaux, ainsi que de
l'inspiration qui vous aideront à accélérer
la progression de votre carrière.

www.RADICALCAREERING.com

RÉFÉRENCES PHOTOGRAPHIQUES

Les photographies reproduites dans ce livre sont en grande partie l'œuvre de collaborateurs de premier plan : Peggy Willett et son équipe, ainsi que les photographes et les directeurs artistiques de Getty Images qui ont réalisé, grâce à leurs talents hors du commun, ces images (énumérées par ordre de parution dans le livre) :

BU003629 Don Farrall	70000612 Archive Holdings Inc	3170577 John Kobal Foundation	818887-003 Dietrich Rose	200026374-001 Gary S & Vivian Chapman
BU003630 Don Farrall	200151352-001 Microzoa	200144118-00 Steve Taylor	200023653-00 Andy Sacks	ga10143 David Ponton
200010291-001 David Madison	200164326-001 Thomas J Peterson	AA014130 David Toase	478796 Michel Tcherevkoff	la9682-001 Alex Freund
200173668-001 Garry Hunter	dv1576093 Hans-Peter Merten	NA004371 PhotoLink	200025092-001 Timothy Archibald	bf1437-001 Jim Naughten
200011485-001 David Sacks	ma0309-001 Ernst Haas	bd2257-001 Sean Ellis	skd190157sdc Stockdisc	200178265-003 Alex & Laila
200154369-001 Henrik Weis	DES_006 Photodisc Collection	bd4231-001 Tim Flach	bc8437-001 Brendan Beirne	fpx20960 John Burwell
comks6079 Comstock Images	AG001698 Siede Preis	imsis252-007 Image Source	10106818 Pete Turner	ec6406-001 Bill Steele
DES_056 Photodisc Collection	200130500-001 Laurence Dutton	ec5942-001 GK Hart/Vicky Hart	SPE_064 Photodisc Collection	976340-004 Doug Struthers
200156429-001 Andrew Michael	bd5955-001 Howard Kingsnorth	comks5996 Comstock Images	200112447-001 Jack Ambrose	891789-001 Catherine Ledner
304615-001 S Purdy Matthews	200156313-001 Andrew Michael	200139671-001 Paul Viant	la7574-001 Davies & Starr	`Number 17
`csaimages.com	NA006506 Don Tremain	la4985-001 Davies & Starr	bd6208-001 Robert Daly	Je remercie particulièrement Bob Stevens pour mon portrait. www.bobstevens.com
WL004029 Arthur S Aubry	200069722-001 John Slater	comks6073 Comstock Images	889325-001 Mark Harris	
YOF_095 Photodisc Collection				

Pour obtenir d'autres images qui sauront vos inspirer dans vos démarches de gestion de carrière, consultez le site **www.gettyimages.com**.

Amelia Earhart
Nº 30 · AGISSEZ AU LIEU DE

John Lennon
Nº 21 · RESPECTEZ LE CYCLE

Andry Warhol
Nº 18 · INVENTEZ L'OPTION C